KB150262

그리스도교 미술연구 총서 8

생명

Berthold Furtmeyer, Tree of Death and Life, c. 1481

이탈리아 풀리아 지방의 오트란토 대성당의 모자이크의 일부, 노아의 방주

마티스, 성 도미니코, 1950, 유약을 입힌 색타일, 로사리오 예배당, 방스

장 프랑수아 밀레, 나무를 접붙이는 농부, 1855

브라이언 크로켓, 이 사람을 보라, 2000

생명

인천가톨릭대학교 조형예술대학
그리스도교미술연구소 編

학연문화사

2013년 2월에 그리스도교미술 총서(7) '성경의 재해석'이 출간된 후 2년 만에 '생명'이라는 주제로 새로운 결실을 보게 되었습니다. 돌아보면 2005년 시작된 인천가톨릭대학교의 그리스도교미술 심포지엄은 그리스도교의 주요 상징들 가운데 십자가, 천사, 부활, 성모 마리아, 빛, 문(門) 등을 주제로 하여 신학적, 미술사적 맥락에서 개괄하는 학술발표회와 그 주제에 대한 조형적 결실을 보여주는 초대 작품전을 주축으로 하여 본 대학의 상징적 행사로 자리매김해 왔습니다. 또한 학술발표회에서 발표된 논문들은 그리스도교 미술 총서로 출간되어 영구히 보존되고 있습니다. 제 7회(2011년)에 이르기까지 매년 숨 가쁘게 열리던 이 심포지엄은 몇 년간의 휴면기를 지나 이제 격년으로 개최되면서 더욱 내실 있는 행사로 성장할 것으로 기대됩니다. 더불어서 이 심포지엄이 한국의, 나아가서 아시아의 그리스도교미술을 주도해가는 중요한 역할을 담당하게 될 것을 또한 희망해 봅니다.

현재에 이르러 생명이라는 화두는 지구상의 모든 생명체의 불가사의한 기원을 설명해 주는 종교적 논의의 범위를 벗어나, 인간을 포함한 모든 생명체의 존재방식을 새롭게 규명하고 제시하며 신학적, 윤리적으로 매우 심각한 문제를 던지고 있습니다. 이르자면 생명공학의 발달로 인하여 생명의 개념, 생명의 한계와 그 변이, 생명경시에 이르기까지 끊임없는 논쟁이 야기되고 있는 현실인 것입니다. 이러한 시점에 본교 부설 그리스도교미술 연구소가 주관하는 심포지엄의 주제를 '생명'으로 선택하였다는 것은 매우 시기적절한 것으로 사료됩니다.

  '생명' 총서는 본교 교학처장인 황창희 교수신부의 "생명 안에 나타난 그리스도교 윤리"라는 발제논문으로 시작되어, 전한호 교수의 "죄에서 구원으로-기독교 미술에 나타난 생명나무", 최병진 교수의 "프란치제나 가도의 미로 도상과 종교적 삶", 강영주 교수의 "마티스의 말년 작품에서 드러나는 '생명'에 대한 표현과 생각", 전혜숙 교수의 "바이오아트를 통한 생명개입의 비판", 신승철 교수의 "물신과 생명: 문화적 경계 위의 바이오 아트", 끝으로 신일기 교수의 "생명가치에 대한 위기를 중심으로 본 세월호 침몰사건의 언론보도 프레임 분석에 관한 연구"의 연구논문으로 구성되어 있습니다. 생명에 관한 그리스도교의 신학적, 윤리적 입장을 명쾌하게 규명하고 있는 발제논문과 중세와 근세 미술에서 드러나는 그 시대의 생명에 관한 신학적, 개념적 논의, 20세기에 활동한 마티스의 작품에서 읽어지는 생명에 관한 그의 심오한 시적 고백이 조명되고 있습니다. 또한 생명을 담보로 하는 과학의 끊임없는 도전 앞에서 드러나는 윤리적, 신학적 문제를 바이오 아트를 통해 짚어본 두 편의 연구 결과물도 포함되어 있습니다. 뿐만 아니라 우리 모두에게 2014년 잔인한 봄을 처절하게 경험하도록 했던 세월호 침몰사건의 언론보도 프레임을 분석한 논문도 포함되어 있어 우리사회의 생명경시 현상을 되돌아보게 하는 계기를 제공해 주고 있습니다. 이 시대 대표적 연구자들에 의해 집필된 모든 연구

논문들은 신학적, 미술사적, 사회과학적 측면에서 다각도로 생명에 관해 깊이 반추하고 미래를 향해 가도록 이끌어줄 것입니다. 모든 필진의 빛나는 연구 성과에 이 자리를 빌어 깊이 감사드립니다.

앞으로도 그리스도교미술 심포지엄은 시기적절한 주제들을 선정하여 열정어린 연구로 그리스도교와 현실의 가교로서 미술을 통해 미래지향적 가치를 함께 일구어 나아가는 귀중한 계기를 제공해 줄 것으로 확신합니다. 이러한 뜻 깊은 행사를 내실 있는 것으로 이루어낸 그리스도교미술 연구소장이신 윤인복 교수를 비롯한 모든 연구원들의 수고에 깊이 감사드립니다. 끝으로 출판을 맡아주신 학연문화사 권혁재 사장님과 관계자 여러분께도 감사의 말씀드립니다.

2015년 10월
인천가톨릭대학교 조형예술대학 학장
김재원

차 례

죄에서 구원으로-기독교 미술에 나타난 생명나무
"보라 내가 너희 앞에 생명의 길과 사망의 길을 두었노라"(예레미아 21장 8절)

전한호(경희사이버대학교)

프란치제나 가도의 미로 도상과 종교적 삶

최병진(서울여자대학교)

마티스의 말년 작품에서 드러나는 '생명'에 대한 표현과 생각

강영주(서울대학교)

바이오아트를 통한 생명개입의 비판

전혜숙(이화여자대학교)

물신과 생명: 문화적 경계 위의 바이오 아트

신승철(강릉원주대학교)

생명가치에 대한 위기를 중심으로 본 세월호 침몰사건의 언론보도 프레임

분석에 관한 연구 : 동아일보와 한겨레, 평화신문의 지면기사에 대한 내용분석

신일기(인천가톨릭대학교)

생명 안에 나타난 그리스도교 윤리

황창희(인천가톨릭대학교)

I. 시작하는 글

　서구 유럽 사회 안에서 정신적인 기초를 형성하고 있는 그리스도교는 예수 그리스도를 살아계신 하느님이자 메시아로서 고백하는 공동체라고 말할 수 있다. 서구 유럽의 여러 도시들을 여행하다 보면 그리스도교 문화가 유럽사회의 모든 삶의 중심으로 자리 잡고 있음을 알 수 있다. 대부분의 유럽 국가들은 그 인종과 문화의 다양성에도 불구하고 수 세기에 걸쳐 형성되어 온 그리스도교를 정신적 기반으로 삼고 있다. 어느 곳을 가더라도 시내 중심의 주교좌성당이 자리하고 있으며, 수많은 지역에서 만나게 되는 성당 안의 예술 작품들은 그리스도교 문화를 표현하고 있다. 따라서 유럽을 여행한다는 것은 어쩌면 그리스도교 문화를 탐방한다고 말해도 틀린 말이 아닐 것이다. 다시 말해 유럽 문화를 방문한다는 것은 수 세기 동안 유럽 대륙 안에서 이루어진 그리스도교 문화를 방문하는 것이다. 그러나 이러한 문화적 기초에도 불구하고 오늘날 서구 유럽 사회를 지배하고 있는 사상은 의외로 비그리스도교적인 사상이라고 할 수 있다. 탈신화화된 세계관과 유물론적 사고들, 그리고 현대 사회 안에서 이슈가 되고 있는 생태주의 환경학자들에 의하여 절대적이고 초월적인 하느님에 대한 신앙관보다는 인간과 자연 그 자체에 대하여 더 의미를 두고 있는 경우가 많은 듯하다.

3천년 기를 살아가는 오늘날의 현대인들에게 그리스도의 사랑을 전파하는 일은 무엇에 비교할 수 있을까? 어찌 보면 이는 창고 속에 오랫동안 잊혀 있던 숨은 보물을 다시 찾는 것에 비유할 수 있을 것이다. 어쩌면 오늘날의 현대인들은 자신이 가진 가장 갚진 보물의 가치를 제대로 알지 못하고 새로운 것을 찾고자 눈앞에 보이는 것들에 신경을 쓰며 시간을 낭비하고 있는 지도 모를 일이다. 사랑과 평화, 생명에 대한 소중한 가치들은 물질주의와 상대주의 사고로 인하여 그 윤리적 가치를 상실하였으며, 사람들로 하여금 자신들이 죽음의 문화 속에서 살고 있음을 깨닫지 못하게 하는 잘못을 범하였다.

이제 우리 사회에 만연된 죽음의 문화를 다시 한 번 생명의 문화로 전환 시키는 것이 필요한 시기가 되었다. 삶의 진정한 의미를 깨닫고 그 안에서 생명을 꽃피우는 일은 그리스도교 신자들에게 뿐만 아니라 모든 사람들에게 중요한 일로서 평가될 수 있을 것이다.

II. 생명에 대한 개념적 이해

생명(生命)이란 무엇인가? 생명을 어떻게 이해 할 수 있을까? 사실 생명이란 개념은 매우 다의적인 의미로 사용되고 있다. 흔히 생명이라 하면 살아있음을 뜻하는 것으로, 생명체나 생물의 살아있기 위한 힘의 바탕이 되는 것을 뜻한다. 생명을 잃었다고 하는 것은 생명체가 더 이상 살아가기 위한 목숨을 잃은 것으로 이해되며, 이러한 목숨을 잃은 생명체는 더 이상 생명을 지닌 존재가 아니라 무생물로서 이해된다. 그러나 이러한 이해는 생명에 대하여 완전하게 이해하는 것이 아니며 그 깊은 의미를 파악하기 위해서는 생명에 관하여 과학적으로는 어떻게 바라보고 있으며 신학적으로 어떻게 이해하고 있는 지에 대하여 살펴 볼 필요가 있다.

II-1. 생명에 대한 생물학적 이해

생명에 관한 생물학적 이해는 브리태니커 대사전에서 자세히 설명한다. 즉, 생리적(physiological), 대사적(metabolic), 유전적(hereditarian), 생화학적(biochemical), 열역학적(hermodynamic)인 관점에서 생명에 대하여 정의하고 있다.[1]

첫째, 생리적 정의에서는 생명이 지니고 있는 특징적인 활동이라고 할 수 있는 각종 생리 작용을 나열하고 이러한 생리작용을 지닌 대상을 생명체로 규정한다. 그러나 이러한 정의는 한계성을 지니고 있는 것으로서 모든 생명체에 있어서 통일화 되고 객관화된 생명의 본질적인 특성을 모두 보여 줄 수는 없으며 생명체가 이러한 작용을 다 하고 있지 않기 때문에 올바른 정의라고 볼 수 없다.

둘째, 대사적 정의에서는 생명체의 신진대사가 생명의 가장 본질적인 특성으로 이해하고 있으며 적어도 일정한 기간 내에 끊임없이 물질 교환을 수행해 나가는 대사 활동을 하고 있는 것으로서 생명을 이해한다. 그러나 식물의 종자나 박테리아의 포자 같은 경우에는 상당 기간 동안 대사 작용을 하지 않으면서도 존재하므로 올바른 정의로 평가될 수 없다.

셋째, 유전적 정의에서는 한 생명 개체가 자신과 꼭 닮은 또 하나의 다른 개체를 만들어 내는 특성을 지니고 있는 것으로서 생명을 이해한다. 모든 생명체는 생식 작용을 통해서 유전적인 형질을 부여 받으며 이러한 대상이 생명체라고 생각하는 것이다. 그러나 생식 능력을 갖고 있지 않는 일벌이나 노새와 같은 생명체는 생명이 없다고 말할 수 없으므로 이러한 정의 역시 충분하게 생명을 설명해 주고 있지 못하다.

넷째, 생화학적 정의는 생명의 특성을 유전적 정보를 함축하고 있는 핵산 정보, 즉 DNA 분자들과 생물체 내에서의 화학적 반응을 조절하는 효소분자, 즉 단백질 분자라고 보면서 이러한 물질들을 기능적으로 함유하고 있는 체계라고 보았다. 그러나 이

---

1) 참조: 진교훈, 「생명이란 무엇인가」, 이동익 외 역음, 『생명공학과 가톨릭 윤리』, 가톨릭대학교출판부. 서울 2004, 4-6.

러한 정의 역시 결점을 지니고 있다. 상이한 분자적 구조를 지니면서도 기능적으로 유사한 성질을 가진 물체가 나타날 때 이를 생명체로 인정할 수 있느냐 하는 것이다.

마지막으로 열역학적 정의에서는 생명을 자유에너지의 출입이 가능한 하나의 열린 체계로 보면서 특정한 물리적 조건의 형성에 의하여 낮은 엔트로피, 즉 높은 질서를 지속적으로 유지해 나가는 특성을 지닌 존재로 정의한다. 이 정의는 생명의 체계가 어떠한 소재로 이루어졌던 상관없이 그 기능만 수행할 수 있으면 생명이라고 할 수 있다는 것이다. 그러나 이 정의 역시 생명이 되기 위한 충분한 조건이 될 수 없다. 왜냐하면 높은 질서 체계를 지속적으로 유지해 나간다고 하더라도 그것이 모두 생명체라고 단언할 수는 없으며 상황에 따라 다를 수 있기 때문이다.

생명에 대한 이와 같은 다양한 자연과학적인 정의들을 살펴보면 결국 생명의 외적이고 물리적인 측면에만 주목하고 생명의 내면적인 부분에 대하여서는 소홀히 하고 있음을 알 수 있다. 단순히 외적이고 물질적인 면에서 생명을 이해하고자하는 노력은 생명이 지니고 있는 영적인 측면을 철저히 무시함으로써 우리가 이해하고 있는 생명에 대하여 온전하게 설명할 수 없을뿐더러 우리가 이해하는 생명에 대하여 그 이해를 높여 주지 못하고 있다.

생명에 대하여 그 전체적인 의미를 이해하기 위해서는 이와 같이 헤아릴 수 없는 생명현상의 모든 특성을 망라하고 통합시켜야 할 것이다. 그러나 과학자들 역시 이러한 생명에 대하여 완전하게 설명할 수는 없으므로 우리는 생명을 하나의 신비 (mystery)라고 말한다. 따라서 종교에서 이해하고 있는 생명의 의미에 대해 이해하는 것이 필요하다. 따라서 그리스도교적인 관점에서 생명을 어떻게 이해하고 있는지 살펴보는 것은 생명의 전체적인 의미를 파악하는데 매우 필요한 것이라고 말할 수 있다.

II-2. 그리스도교의 생명관

그리스도교는 생명을 위한 종교라고 말한다. 왜냐하면 그리스도교란 명칭에서도 알 수 있듯이 그리스도교 신자는 예수 그리스도를 살아계신 하느님이자 구세주로서 믿고 고백하는 종교이기 때문이다. 예수 그리스도는 자신을 두고 생명이라고 말씀하

셨을 뿐만 아니라, 생명을 위해서 왔다고 진언하였다. 그러므로 우리는 그리스도교를 생명의 종교라고 말해도 무관하다고 할 수 있다(요한 14,6; 6,48; 5,24; 10,10 참조).

이처럼 그리스도교는 생명의 종교로서 이해되고 있으며, 그리스도교가 이해하고 있는 생명의 의미를 이해하기 위해서는 그 근본적인 원천인 구약성경과 신약성경 안에서 생명에 대하여 어떻게 이해하고 있는지를 살펴보는 것이 필요하다.

II-2-1. 구약성경의 생명 이해

생명에 대한 구약성서의 표현들은 네 가지 단어로 표현된다. '하이임'(hajjim), '네페쉬'(nepe˘s), '루아흐'(ruach), '너샤마'(nushama)가 바로 그 단어 들이다[2].

'하이임'은 창세기 2,7과 욥기 24, 22에서 보이듯이 생명을 뜻한다. 한편 '네페쉬'는 일차적으로 숨이나 음식을 넘기는 목구멍 또는 목이라는 신체 기관을 뜻하는 이름이다. 이 단어는 욕구, 영혼, 사람으로도 번역되고 특히 갈망하는 인간을 표현한다. '네페쉬'는 목숨 또는 생명의 의미로도 쓰이고 있다. 여기에서는 목이 생명과 같은 뜻으로 쓰이는 것을 알 수 있다. 다시 말해 목이 잘렸다는 표현은 결국 생명을 잃었다는 말과 일맥상통하는 의미인 것이다. '루아흐'는 숨, 바람, 영, 정서, 의지력 등으로 번역되기도 하지만 한편으론 생명으로도 번역된다. '너샤마'는 숨결을 뜻하는 것으로 이따금씩 '루아흐'와 동의어로 사용되기도 한다. 이 이외에도 피를 뜻하는 '담'(dam)이란 단어 역시 생명과 관련된 것으로 보고 있다. 즉, 피란 생명력 자체가 머무는 곳으로 이해된다. 구약성경에서는 고기를 먹을 때에 피를 먹지 말라는 금령을 내리고 있는데, 이는 생명을 함부로 해서는 안 된다는 경외사상을 알 수 있게 한다.[3]

구약에서 이해하는 생명경외 사상은 모든 생명의 주관자가 바로 하느님이라는 데에 그 바탕을 두고 있다. 하느님께서는 사람의 생사를 쥐신 분으로써 지하에 떨어트리기도 하시고 끌어올리기도 하시는 분이며(1사무2,6 참조), 자기 이외에는 다른 신이 없는 절대적인 존재자로서 죽이는 것도 하느님이요, 살리는 것도 하느님임을 말씀하

---

2) 참조: 김영남, 「그리스도교의 생명 이해」, 『가톨릭 신학과 사상』 제20호(1997/여름), 가톨릭대학교출판부, 65.
3) 참조: 조규만, 「생명이란 무엇인가?」, 이동익 외 엮음, 『생명공학과 가톨릭 윤리』, 가톨릭대학교출판부 2004, 18-19.

신다(신명 32.39 참조). 다시 말해서 구약에서 말하는 창조 사상은 궁극적으로 모든 생명이 하느님으로부터 비롯되었다는 것을 강조하고 있다. 이러한 하느님 중심 사상은 인간의 생명을 소중히 여기는 인간 중심주의로 확대 발전된다.

제관계 문헌에서는 인간의 창조를 절정으로 다루며(창세1.1-24 참조), 야휘스트계 문헌은 인간의 창조를 모든 창조의 중심으로 묘사하고 있다(창세 2.4 참조). 이러한 하느님의 인간 창조는 곧 하느님의 모상을 닮은 존재로서 창조된 인간 존재를 존엄하게 한다. 구약에서 말하는 인간의 존엄성이란 바로 인간이 하느님의 모상대로 창조되었기에 존엄하며 그분의 외형적인 것뿐만 아니라 성격이나 습관 등 내면적인 것을 닮음으로써 존귀한 존재로 이해되는 것이다.

많은 학자들은 과연 인간이 하느님의 어떤 부분을 닮았을지 논란을 해 왔지만 가장 수긍할 만한 입장은 칼 바르트(K. Barth)의 견해이다. 바르트에 따르면 하느님의 모상을 이해함에 있어서 인간이 존재하는 혹은 행하는 그 이외의 다른 어떤 것을 이루는 것이 아니라 인간 자신이 바로 하느님의 창조물로 창조되었기 때문에 존재한다고 본다. 그는 인간이 만일 하느님의 모상이 아니라면 그 자체로 인간일 수 없으며, 바로 인간이 인간이기 때문에 하느님의 모상인 것이라고 주장하였다.[4] 만약 하느님의 모상을 인간의 어떠한 자질에 국한하여 생각한다면 그러한 자질이 부족하거나 결여된 인간은 하느님의 모상이 결여된 인간일 수밖에 없다. 예를 들어 인간의 지성을 하느님의 모상이라고 가정한다면 지성이 뛰어난 사람만 하느님의 모상이요, 지성을 잃는 사람들이나 식물인간은 하느님의 모상을 잃어버린 사람으로 치부해 버릴 수도 있다. 그러나 그러한 사람들 역시 인간 그자체로서 존엄성을 지닌 인간이기에 무능력한 인간을 인간이 아니라고 말할 수 없다. 따라서 인간이 어떠한 부분에서 하느님을 닮았는지에 대한 연구는 계속되어야 하겠지만 인간이 그 자체로 하느님의 모습을 닮은 존재로 창조되었다고 하는 사실에 인간 존엄성의 근거를 두는 것은 타당하다. 따라서 그리스도교에서는 인간을 남녀노소, 장애의 소지여부와 상관없이 그 자체로서 인간인 만큼 존엄성을 지닌 존재로 이해하고 있다.

구약 성경은 하느님이 인간에게 세상을 다스리도록 지배권을 부여하셨다고 표현

---

4) 참조: 조규만, 「생명이란 무엇인가?」, 21-22.

하고 있으며, 이러한 지배권 역시 인간의 생명을 소중히 여기는 인간 중심주의를 나타내고 있다. 그러나 이러한 구약성경의 인간 중심주의적인 사고는 오늘날의 생태주의 옹호자들로부터 오해되고 비판되었다. 그들은 인간 중심적인 사고와 인간의 세상에 지배권에 대한 사고로 말미암아 오늘날과 같은 환경위기를 낳게 하였다고 본다. 그러나 구약 성경에서는 모든 피조물들과 함께 더불어 자연을 잘 돌보면서 살 것을 요구하셨지, 아무런 기준 없이 자연을 이용하여 환경을 파괴하고 다른 피조물들의 생명을 없애라고 그 지배권을 부여한 것은 아니었다. 결국 인간의 무책임한 행위와 지배권에 대한 몰이해가 이러한 위기를 가져왔다고 말할 수 있을 것이다.

II-2-2. 신약성경의 생명 이해

신약성경에서도 구약과 마찬가지로 생명이란 뜻을 가진 희랍어들이 사용되었다. 생명을 뜻하는 '프쉬케'(psyche), '조에'(zoe), '비오스'(bios)가 있는데 '비오스'란 단어는 거의 사용되지 않고 있고 '프쉬케'와 '조에'란 단어가 많이 사용된다. 일반적으로 '프쉬케'는 목숨, 즉 지상적인 생명을 의미하고, '조에'는 지상적인 생명을 뜻하기도 하지만 대체적으로 내세에 구원의 선물로 주어질 생명, 즉 영원한 생명을 지시하는 데에 사용되고 있다.[5]

공관복음에서 말하는 중심 주제인 하느님 나라의 선포는 결국 인간의 구원을 뜻한다. 여기에서 말하는 인간의 구원이란 결국 영원한 생명을 사는 것이다. 따라서 인간에게 있어서 궁극적인 목표는 영원한 생명을 얻는 것이며, 하느님 나라를 잃는 것은 결국 세상 모든 것을 얻어도 소용이 없는 것으로 이해되고 있다(루카 9,25참조). 또한 예수는 현세적인 생명인 프쉬케의 가치에 대해서도 무시하지 않으셨다. 아니 오히려 영원한 생명 때문에 현세의 생명에 대해서도 매우 존중하셨다. 단순히 도래할 영원한 내세의 삶만을 선포한 것이 아니라 이 세상 안에서 고통당하고 있는 수많은 사람들에게 위로와 치유의 기적을 베풀어 주신다. 아픈 이들을 치유해 주시고, 배고픈 이들에게 빵의 기적을 베푸시면서 생명의 소중함을 일깨워 주신다. 예수의 기본적인 생각은 생명이 안식일 보다 더 중요하고, 인간의 생명이 짐승의 생명보다 더 소중하다고

---

5) 참참조: 조규만, 「생명이란 무엇인가?」, 29.

생각하였다(마태 12,12 참조).[6]

예수에게 있어서 가장 큰 계명은 하느님의 사랑이었고 이러한 하느님께 대한 사랑은 곧 이웃 사랑과 같은 것이었다. 그리고 그의 삶 자체 안에서 죽기까지 인간을 사랑하시는 하느님의 사랑을 보여주셨다. 인간은 하느님의 자녀이며 여기에는 옳은 사람, 옳지 않은 사람에 대한 구별도 선한 사람, 악한 사람에 대한 구별도 존재하지 않는다(마태 5,45). 또한 남자와 여자의 구별도 없으며 어린이에 대해서도, 병자이거나 더욱 소외되는 이들에게 더욱 관심과 사랑을 베풀 것을 가르치신다.[7]

요한복음에서 말하는 생명은 공관복음에서 말하는 '하느님 나라'와 같은 개념으로 사용된다. 다시 말해 하느님 나라에 들어가는 것을 영원한 생명에 들어가는 것, 혹은 영원한 생명을 받는 것으로 이해하고 있다. 요한복음에서는 '생명'이란 단어를 어느 다른 성서에서 보다 많이 사용하고 있다. 요한복음에서는 자연적인 생명인 '프쉬케'와 신적인 생명인 '조에'를 일관성 있게 구별하고 있다. 요한복음에서는 예수 그리스도가 모든 인간 생명의 생명 자체임을 알려주고자 노력한다. 요한복음에서 영원한 생명은 필연적으로 예수 그리스도와 관련이 된다. 왜냐하면 예수 그리스도 자체가 모든 인간 생명의 빛(요한 8,12)이요, 생명의 빵(요한 6,36)이며, 생명 그 자체이기 때문이다(요한 11,25;14,6).[8]

하느님으로부터 긍정된 인간이 영원한 생명을 얻기 위해서는 예수 그리스도와의 친교가 필연적이며 영원한 생명은 신앙적 결단을 통해서 하느님으로부터 그리스도를 통하여 선사된다. 이러한 밀접한 친교는 신앙을 통해서 이루어지는 것이다. 여기서 우리는 믿음을 통해 영원한 생명을 얻을 수 있게 된다는 사실을 알 수 있을 뿐만 아니라 하느님과 인간의 친교에 있어서도 믿음이 근본이 된다는 것을 알 수 있다. 또한 요한복음에서는 참 생명을 이해함에 있어서 영원한 생명을 전제로 하고 있다. 죽음으로 말미암아 끝장나는 현세적인 생명은 무의미하며 이러한 영원한 생명 때문에 현세 생명 역시 소중한 것이다.[9]

---

6) 참조: 조규만, 「생명이란 무엇인가?」, 30-31.
7) 참조: 조규만, 「생명이란 무엇인가?」, 31-34.
8) 참조: 조규만, 「생명이란 무엇인가?」, 34-35.
9) 참조: 조규만, 「생명이란 무엇인가?」, 35.

바오로 서간에서 사용된 '프쉬케'는 지상적인 생명을 주로 의미한다. 이따금 '조에'가 현세적인 생명을 뜻할 때도 있지만 대부분의 경우 이 '조에'는 하느님으로부터 비롯한 영원한 생명을 가리킨다. 사도 바오로 역시 그리스도인의 최종 목표를 영원한 삶에 두었다(로마 6,22-23 참조).[10]

바오로는 최종 목적으로서 영원한 생명에 대하여 말하고 있지만 현세적인 삶의 방식에 대하여 주로 다루고 있다. 바오로에 의하면 영원한 생명은 의화의 결과이며(로마 5,17-18.21; 6,22), 여기에서 말하는 의화란 곧 죄의 용서를 뜻한다. 하느님과의 관계 단절로 죄를 지은 인간은 하느님의 은총을 통해 죄를 용서 받고 다시 하느님과의 관계를 회복시킴으로써 영원한 생명을 누리게 되는 것이다. 이러한 의화 사상 안에서 우리는 바오로 신학이 예수 그리스도의 죽음과 부활 사건에 초점을 맞추고 있음을 알 수 있다. 예수 그리스도께서는 속죄의 죽음을 통해 모든 인간이 죽음에서 벗어날 수 있게 하였다. 이러한 죽음 이해를 통해 바오로는 그리스도의 죽음을 구원론적으로 이해하고 있다. 결론적으로 바오로는 예수 그리스도의 부활을 통해 모든 그리스도인들이 영원한 생명에로 나아갈 수 있게 된다고 이해한다. 이러한 바오로의 이해는 결국 모든 인간 생명을 존중하는 것이 그리스도의 부활을 통한 영원한 생명에 도달할 수 있다는 믿음에 기초를 두고 있음을 밝혀주고 있는 것이다.[11]

바오로가 이해한 예수 그리스도의 영원한 생명에의 초대에는 어떠한 차별도 존재하지 않으며 그러한 인간에 대한 차별 없는 초대는 결국 인간 자신뿐만 아니라 창조된 모든 피조물에 대한 관심과 사랑으로 확대되어 나타난다(로마 8,19-24 참조).

III. 생명에 관한 교회의 가르침

생명에 관한 교회의 가르침은 과거에는 주로 십계명의 '살인하지 말라'는 다섯 번째 계명을 토대로 생명을 존중하도록 가르치는 것에 국한 되어 있었다. 그러나 20세기로 접어들면서 교회는 생명 문제가 단순히 직접적으로 사람이 죽이는 살인의 문제에만

---

10) 참조: 조규만, 「생명이란 무엇인가?」, 36.
11) 참조: 조규만, 「생명이란 무엇인가?」, 37-40.

해당되는 것이 아니라 더욱더 복잡한 문제임을 말해 주고 있다. 낙태(abortion), 안락사(euthanasia), 생명복제(cloning), 생태계의 파괴 등 사회 안에 다양한 문제들이 '죽음의 문화'라는 명제 아래 대두되었고, 이러한 문제들은 사회 문제로 거론될 정도로 심각한 상태가 되었다. 따라서 교회는 생명 문제에 대한 여러 가지 문제들에 대하여 교회의 직접적인 대응의 방법으로 여러 가지 가르침을 내어 놓았다. 이러한 교회의 역할은 '죽음의 문화'를 다시 '생명의 문화'로 바꾸어 나아가고자 하는 교회의 의도가 깔려있다고 말할 수 있을 것이다.

교회에서 사회 문제에 대하여 직접적으로 관심을 본인 것은 레오 13세의 회칙 「새로운 사태」(1891)이 후이다. 이 회칙의 발표 후 여러 교황들은 사회 문제에 대하여 다양한 사회 회칙들을 발표하였고, 이러한 사회 회칙 안에서 교황들은 인권과 인간의 존엄성에 대하여 집중적으로 가르쳐 왔다. 생명 문제에 관하여 직접적으로 관심을 갖은 문헌은 교황 비오 12세의 회칙 「인류」(1950)가 처음이다. 이후 생명 문제에 대하여 다룬 여러 가지 문헌들이 발표되었다: 교황 비오 12세, 「인류」(1950); 교황 바오로 6세, 「인간 생명」(1968); 교황청 신앙교리성, 「인공유산 반대 선언문」(1974); 「인간 생명의 기원과 출산의 존엄성에 관한 훈령」(1987); 교황 요한 바오로 2세, 「생명의 복음」(1995); 교황청 생명학술원, 「인간 복제에 관한 성찰」(1997); 「임종자들의 존엄에 관한 최종성명」(1999); 교황청 가정 평의회, 「배아 감수에 관한 선언」(2000).

여기에서는 1995년도에 발표된 요한 바오로 2세 교황의 회칙 「생명의 복음」을 중심으로 살펴 볼 것이다. 이 회칙에서는 생명에 관한 모든 문제를 총괄하여 전체적으로 다루고 있다.

III-1. 회칙 「생명의 복음」에 나타난 생명관

요한 바오로 2세 교황의 회칙 「생명의 복음」은 지금까지의 여러 가지 생명에 대한 가르침들을 종합적으로 다루고 있다.

회칙에서는 우선 제1장에서 인간 생명에 대한 현대의 위협으로서 성서적인 근거로서 생명에 대한 폭력의 기원과 생명가치에 대한 인간의 의식 상실, 그리고 그릇된 자유 개념과 하느님 의식과 인간 의식의 실종에 대하여 말한다. 이어서 생명에 관한 그리스도교의 메시지를 제2장에서 다루면서 인간이 그리스도를 향해 시선을 고정하고 하느님께 모든 초점을 맞출 것을 요청하고 있다. 따라서 인간에게 부여하신 생명은 하느님의 선물이며, 그러한 생명에 대하여 인간은 책임을 지고 있는 존재로 나타난다. 생명은 태중아이이던 노인이던 상관없이 존중되어야 하며, 그러한 생명의 복음은 예수 그리스도의 십자가 사건을 통해 완성된다. 이어서 제3장에서는 제5계명인 '살인하지 못한다.'는 계명을 통해 하느님의 신성한 법으로서 생명에 대한 보호를 말해주고 있으며, 마지막으로 제4장에서 인간 생명의 새로운 문화를 위하여 구체적으로 어떻게 생명에 대하여 이해하고 행동하여야 할지에 대하여 말해 주고 있다.

전체적으로 이 회칙의 내용을 정리해 보면 크게 그리스도교는 생명의 종교이며, 이러한 생명은 그 자체로 신성하고 탁월성을 지니고 있고, 생명의 시작과 그 목적은 하느님으로부터 시작되며, 창조된 모든 생명들 중에 인간 생명이 생명의 중심이 된다는 것을 말해 주고 있다. 결국 인간의 생명은 그 자체로 존엄하며 존중 받아야 하는 것으로 이해되고 있다.

III-1-1. 생명의 종교로서 그리스도교

그리스도교는 자신을 생명의 종교 혹은 생명을 위한 종교로서 이해한다. 왜냐하면 생명의 복음은 예수께서 전파하신 메시지의 핵심이며, 그리스도교의 핵심 메시지이기 때문이다. 따라서 생명의 말씀이신 예수께서는 이 세상에 생명을 전달하기 위해서 왔고 풍성하게 하기 위해서 오셨다(요한 10,10 참조). 따라서 교회는 날마다 이 생명의 말씀을 전파해야 한다.[12] 이는 복음의 핵심적인 부분이고, 우리 인간은 생명의 복음을 선포하는 생명의 백성이며, 생명을 위한 백성이다.[13] 또한 인간은 이 복음으로 말미암아 변화되었고 구원되었기에 생명의 복음을 사는 사람들로서 생명의 백성이라고 말할 수 있다.[14]

III-1-2. 생명의 신성성(神聖性)

모든 생명의 주관자는 하느님이시기에 그리스도교는 생명을 신성하게 여긴다. 오

---

12) 참조:「생명의 복음」, 1항.
13) 참조:「생명의 복음」, 78항.
14) 참조:「생명의 복음」, 79항.

직 하느님만이 생명의 주인이시기 때문이다.[15] 생명은 그 시작에서부터 마지막 순간에 이르기까지 오직 하느님만이 주인이시다. 어느 누구도 어떤 상황에서도 무죄한 인간의 생명을 직접적으로 파괴할 수 있는 권리를 어느 누구도 지니고 있지 않다.[16] 왜냐하면 하느님만이 생명에 대한 주도권을 지니고 계시기 때문이다. 인간의 생명과 죽음은 하느님의 영역이며 그분의 권능에 달려있다. 인간의 생명을 주관하시는 하느님께서는 사람을 죽이기도 살리기도 하시는 분이시며 지하에 떨어트리기도 끌어올리기도 하시는 분이시다(신명 32,29; 1사무 2,6 참조). 따라서 제 5계명에 거슬러 온갖 종류의 살인, 집단 학살, 낙태, 안락사, 고의적인 자살과 같이 생명 자체를 거역하는 행위와 이와 비슷한 모든 행위는 문명을 손상시키는 것이고 불의를 자행하는 사람을 더럽히는 행위로서 하느님을 극도로 모욕하는 행위로 평가된다.[17] 따라서 교회는 살인을 단죄하며,[18] 낙태와 유아살해를 단죄하고[19], 안락사를 단죄하며,[20] 사형 제도를 반대한다.[21]

III-1-3. 인간 생명의 탁월성

교회는 인간 생명이 어느 다른 피조물과도 비교할 수 없을 만큼 소중한 것임을 가르친다. 왜냐하면 인간은 하느님께서 인간이 되실 만큼 인간을 사랑하셨기 때문이다. 사람을 위해 육화된 말씀이신 예수 그리스도를 통해 인간은 하느님의 인간에 대한 무한한 사랑을 체험하였다. 하느님께서는 이 세상을 극진히 사랑하셔서 외아들을 보내 주셨고 인간을 위해 잡히시고 십자가에서 죽으시고 부활하시고 영원한 생명을 약속하시는 무한한 사랑을 보여 주셨다. 이러한 하느님의 무한한 사랑은 결국 인간 생명이 그 자체로 존엄하다는 것을 보여준다.[22]

인간의 존엄성은 인간이 '하느님의 모상'(Imago Dei)으로 창조되었고, 하느님의 자

---

15) 참조:「생명의 복음」, 55항.
16) 참조:「생명의 복음」, 53항.
17) 참조:「생명의 복음」, 53항.
18) 참조:「생명의 복음」, 4항, 9항.
19) 참조:「생명의 복음」, 13항, 62항.
20) 참조:「생명의 복음」, 64항, 65항, 66항.
21) 참조:「생명의 복음」, 56항.
22) 참조:「생명의 복음」, 2항, 25항, 35항..

녀가 되었다는 사실에서 드러난다. 인간 생명은 하느님의 자녀로 창조됨으로써 그 생명을 부여받았고 그러한 생명은 바로 하느님의 생명인 것이다.[23] 하느님께서 이 세상을 창조하신 목적은 바로 인간으로 하여금 영원한 생명에 이르도록 하기 위함이다. 이러한 인간의 생명은 어느 무엇과도 바꿀 수 없는 소중한 것으로서 하느님께서 우리에게 부여해 주신 피조물들에 대한 지배권에서도 우선적인 것으로 나타난다. 이러한 초자연적인 소명의 숭고함은 결국 인간 생명이 현세적인 측면 안에서도 위대함을 지니고 있다는 것을 말해 준다.[24] 인간 생명의 존엄성은 그 출발도 그리고 그 목적도 하느님과 연결되어 있다. 하느님께로부터 온 인간 생명은 하느님의 선물이며, 그분의 모상으로서 신성함을 지니고 있다. 또한 창조된 인간 모두에게 인간 생명 그 자체에 대하여 존중하고 사랑하도록 요청하고 있는 것이다.[25]

III-1-4. 생명의 시작과 목적

인간의 생명은 수정되는 순간부터 시작된다. 수정되는 순간부터 인간은 생명을 지닌 존재의 모험이 시작되는 것이다.[26] 따라서 출생을 막는 것은 다른 살인들과 마찬가지로 명백하게 인간 생명에 대한 침해이며, 이는 인간 살해를 앞당기는 행위일 뿐이다. 하나의 사람이 될 태아 역시 이미 사람이며 그것은 바로 수정되는 순간부터 그 존엄성을 인정받아야 한다. 성서에서도 인간 생명에 관련하여 잉태, 태중의 생명형성, 출산이라고 하는 인간 생명이 시작되는 순간과 창조주 하느님의 활동 사이의 관계 등에 대하여 존경과 사랑을 가지고 언급한다.[27]

또한 이러한 생명의 목적은 바로 영원한 생명을 목적으로 하고 있다. 예수 그리스도는 영원한 생명을 위하여 탄생하셨으며, 이러한 예수 그리스도의 탄생과 지상 생활의 궁극적인 목적은 인간으로 하여금 영원한 생명에 이르게 하기 위함이다. 그러나 지상 육체의 생명이 절대적인 선이 아니기에 더 큰 선을 위해 그 생명을 포기하는 희생적인 죽음을 이해 할 수 있다. 자신의 목숨을 바쳐 희생하여 모든 사람들을 살리는

---

23) 참조:「생명의 복음」, 37항, 51항.
24) 참조:「생명의 복음」, 2항.
25) 참조:「생명의 복음」, 41항.
26) 참조:「생명의 복음」, 60항.
27) 참조:「생명의 복음」, 61항; 예레 1,5; 시편 22,10-11; 71,6; 139,13-14; 루카 1,25.

이 희생적인 삶은 바로 영원한 생명을 위하며 바쳐지는 숭고한 가치인 것이다. 그럼에도 불구하고 인간은 그 누구도 스스로 살 것인지 죽을 것인지 임의로 선택할 수 없으며 그러한 생명에 대한 결정권자는 바로 하느님이시다.[28]

III-1-5. 생명의 중심으로서 인간 생명

하느님께서 부여해 주신 인간 생명은 다른 모든 피조물들에게 주신 생명과는 전혀 다른 것이다. 왜냐하면 피조물들 가운데에 유일하게 인간만이 창조주를 알아 사랑할 수 있기 때문이다. 창조된 모든 것은 인간을 위해 만들어졌으며, 만물은 인간의 지배를 받도록 만들어졌다. 인간은 피조물을 다스리며, 마치 우주의 절정과도 같고, 모든 피조물 중에 최상의 것인 것과 같은 아름다움을 지닌 존재이다.[29] 그러나 이러한 인간 중심적인 사고는 인간 이외의 다른 생명체와 자연을 함부로 훼손하라는 뜻은 아니다. 뒤늦게나마 교회는 생태계의 위기를 공감하고 다른 생명과 자연에 대하여 관심을 표명하였다. 요한 바오로 2세의 회칙 「사회적 관심」(1987)에서는 광범위하게 환경 문제에 대하여 다룬다. 즉, 개발에 대한 윤리적 성격에서 자연 세계를 구성하고 있는 제반 사물들에 대한 존중이 제외되어도 된다고 함부로 말할 수 없다는 것이다.[30] 또한 그의 첫 번째 회칙인 「인간의 구원자」(1979)에서 자연환경 오염의 위협을 지적하면서 창세기에서 말하는 인간의 자연에 대한 지배권은 인간이 현명하고 품위 있는 주인이자 보호자로서 자연과 통교하는 것이지 착취자나 파괴자로서 자연을 대하는 것이 아니었다고 해석하고 있다.[31]

결국 이와 같은 타 생명체와 자연에 대한 이해는 인간 생명을 중심적으로 보는 사고에서 벗어나고자 하는 것이 아니라 인간의 책임 있는 생명 보호를 각성하도록 요구하는 것으로 이해할 수 있다.

---

28) 참조:「생명의 복음」, 47항.
29) 참조:「생명의 복음」, 34-35항.
30) 참조:「사회적 관심」, 34항.
31) 참조:「인간의 구원자」, 15항.

IV. 생명에 관한 그리스도교적 이해와 기초

생명에 관련하여 가톨릭교회가 윤리적 판단을 내리는 기초에는 몇 가지 측면이 존재한다. 즉, 인간 생명은 하느님의 선물이며, 인간 생명은 그 첫 순간부터 존중되어야 한다는 것이다. 또한 과학 기술은 인간 생명을 존중해야 한다는 진리를 인식하면서 그 한계를 직시하면서 발전되어야 한다는 점이다.

IV-1. 하느님의 선물로서 인간 생명

"인간의 생명은 하느님의 선물이며, 그분의 모상이고, 각인이며, 그분 생명의 숨결을 나누어 주는 것이다. 그러므로 하느님께서 이 생명의 유일한 주인이시며, 따라서 인간은 이 생명을 자기 마음대로 할 수 없다."[32] 이러한 생명에 대한 이해는 가톨릭교회의 가장 기본적인 생명에 대한 이해이다. 생명은 하느님께서 인간에게 부여한 선물이고 그분의 모상이자 각인이며 숨결을 나누어 주시는 것으로서 인간은 그 생명에 대하여 마음대로 할 수 없다. 또한 생명은 그 자체로 선한 것으로서 회칙「생명의 복음」에서는 그 근거로서 인간과 하느님과의 관계성에 대하여 말해주고 있다. 인간은 이 세상에 하느님을 증명하는 존재요, 그분께서 존재한다는 표징이며 그분 영광의 흔적이기에 다른 피조물들과는 전혀 다른 하느님 영광 그 자체라고 강조한다.[33]

인간은 현세적인 존재의 차원을 훨씬 뛰어 넘어서는 충만한 생명으로 부르심을 받은 존재이며, 따라서 위대함과 측량할 수 없는 가치를 지닌 존재인 것이다. 인간 생명에 대한 이러한 기초는 결국 인간의 특성으로서 신성함과 불가침성이 드러난다. 인간 생명의 신성함과 선함 그리고 불가침성이라는 특성은 결국 인간이 그 자체로 목적이지 수단으로서 전락되어서는 안 된다는 것을 말해 주고 있다.

IV-2. 인간 생명의 시작

인간 생명을 어디서부터 볼 것인가 하는 문제는 가톨릭 생명윤리의 중심에 있다. 인간 출산이나 배아 복제 등의 모든 문제들이 인간 생명의 시작과 관련된 문제를 비켜나갈 수 없기 때문이다. 가톨릭교회는 인간 생명이 탄생하는 최초의 결정적인 순간

---

32) 「생명의 복음」, 39항.
33) 참조:「생명의 복음」, 34항.

을 난자와 정자가 결합되는 수정의 순간이라고 가르친다. 이 순간에 유일하고도 반복될 수 없는 유전인자로서 아버지와 어머니의 생명과는 구별되는 새 생명이 시작되는 것이며 난자와 수정이 이루어지는 수정란의 시기는 이미 인간 생명이 시작된 시기라고 보아야 하는 것이다.[34]

이처럼 수정란에서 이미 인간 생명이 시작되므로 인간은 그 존재의 첫 순간부터 하나의 인격체로서 존중되어야 하며, 수정란이나 배아 등을 통한 인위적 조작이나 연구는 비윤리적인 것으로 평가된다. 수정란이나 복제된 배아 역시 하나의 인격체로서 존중되어야 하는 것은 당연한 것이며, 만일 인간 배아에 대한 연구나 실험, 배아에 가해지는 다양한 의료 조작이 배아가 가지는 인간으로서의 존엄성과 완전성을 거스르게 된다면 이를 당연히 거부해야 하는 것이 교회의 역할이다.

IV-3. 인간에게 봉사하는 생명과학과 의료기술

과학기술의 발전은 실로 눈부시게 이룩되었으며, 이로 인한 인간 삶의 질적인 향상은 몰라보게 향상되었다. 특히 생명과학 분야에서서의 약진은 인류의 미래에 대하여 큰 희망을 가져다주고 있다고 평가해도 과언이 아닐 것이다. 수십 년 전에만 하더라도 목숨을 앗아갔던 불치병들에 대한 의료 분야의 정복은 인간의 수명을 평균적으로 더 늘려 놓았으며, 그러한 의료 기술의 발달로 말미암아 인간은 더욱더 발전된 인간의 위치에 놓이게 되었다. 이러한 생명과학기술의 발전은 실로 더 나은 인간 생활을 위한 계기에서 시작되었으며 인류 행복에 기여코자 하는 목적에서 발전되어 왔다.

그러나 이러한 생명과학과 의료 기술의 발전은 인간을 위해 존재하며 나아가 모든 사람들에게 이익이 되는 온전한 인간으로서의 발전을 도모할 때 참다운 가치가 있다. 만일 이러한 목적이 없는 생명 과학의 발전과 의료기술의 발전은 그 자체로 아무런 가치를 지니지 못한다. 곧 과학 기술의 발전이 참된 가치를 지니기 위해서는 인간으로서의 발전을 목표로 하고 있기에 이러한 목표에 부합하지 않는 과학기술 연구나 의료 연구를 시행한다는 것은 분명 잘못된 것이다. 여기서 우리는 생명과학의 연구에 한계점을 지니고 있음을 알 수 있다. 만일 누군가에 의해서 과학적인 기술 연구는

---

34) 참조: 교황청 신앙교리성, 「인공유산 반대 선언문」, 사목 429(1975/11), 한국천주교중앙협의회, 5.

순수 과학적인 부분이므로 도덕적으로나 윤리적으로 아무런 문제가 없다고 주장한다면 그것은 분명 잘못된 주장이다. 왜냐하면 과학 기술 역시 인간에게 봉사하기 위하여 시행되어야 하고 무엇보다도 그 연구의 목적이 참되고 온전한 선에 봉사하도록 방향 지워져 있기 때문이다.

따라서 인류의 행복에 기여하기 위한 목적으로 사용되는 생명과학과 의료기술의 개발에는 넘어서지 말아야할 한계가 존재한다. 우선적으로 이러한 연구에 전제가 되는 것은 인간 존엄성 수호라는 대원칙이 필요하다. 인간 존엄성에 위배되는 어떠한 연구나 탐구도 교회는 동의할 수 없으며 여러 가지 구체적인 사안들에 대해서도 확실한 윤리성 확립내지는 사회적인 통제 기능이 제도적인 장치를 통해서 반듯이 수행되어야 한다. 요한 바오로 2세는 회칙「인간의 구원자」에서 인간의 재능과 창의력이 이룩해 놓은 업적이 때때로 인간 스스로를 지배하고 위협할 뿐만 아니라 인간 사회 전체를 회복 불가능한 파멸로 이끌 수 있다고 경고하였다.[35] 인류의 삶을 풍요롭게 하기 위해 필요하다고 개발된 핵에너지는 역설적이게도 핵무기가 되어 인류를 파멸의 위기로 몰아가고 있으며, 이처럼 통제되지 않는 과학기술의 남용은 결국 수많은 생명을 앗아가는 고통의 역사를 인간들로 하여금 체험하게 하였다. 인간의 교만과 통제되지 않는 욕구는 결국 인간을 스스로 철저하게 위협하고 자멸하게 하는 잘못을 범하게 할 수도 있는 것이다. 인간 생명을 보호하고 생명을 연장하겠다고 주장하면서 인간의 체세포를 이용하여 인간의 배아를 복제하고 그에 대한 연구를 하는 과학자들 역시 선을 추구한다고 말하면서 악한 방법을 선택하는 중대한 오류를 범하고 있다. 아무리 인간 생명이 소중하다고 하더라도 타인의 생명을 유린하면서까지 생명을 연장시킨다는 사고는 윤리적으로 용납될 수 없는 생각인 것이다.

이러한 잘못된 사고에 필요한 것은 바로 시민 의식의 성숙이다. 인간의 생명은 가장 소중한 것이기에 어떠한 경우에라도 철저히 보호되어야 하며, 인간 존엄성을 침해하는 어떠한 연구나 실험도 마땅히 거부되어야 한다고 교회는 강력히 주장한다.

---

35) 참조:「인간의 구원자」, 19항.

V. 나가는 글

　　인간 생명에 대한 교회의 가르침 안에서 우리는 인간의 생명이 하느님으로부터 창조되었다는 창조사상으로부터 시작되고 있음을 알 수 있다. 또한 그리스도의 인간 사랑의 구체적인 실현인 육화사상 역시 인간 생명의 존엄성에 근거가 되고 있음을 알 수 있다. 생명의 주인으로서 하느님께서는 인간을 사랑 안에서 창조하셨고, 인간의 자연과 환경에 대한 올바른 지배와 관리권을 주셨다. 그러나 이러한 소중한 생명에 대하여 인간 스스로의 경시 사상은 오늘날 우리들에게 생명의 위기라는 커다란 위험을 초래하게 되었다. 무분별한 과학기술의 이용을 통해 인간을 위한다는 명목 하에 비인간적이고 비윤리적인 생명 과학 분야에서의 연구가 통제되지 않으면서 지원되기도 하였으며, 환경오염과 자연 파괴는 만물의 관리자로서 인간의 역할을 올바르게 수행하지 못하는 잘못을 범하게 하였다. 다시 말해서 이제 교회 안팎으로 만연된 이러한 생명경시와 죽음의 문화에 대하여 교회는 사회적인 목소리를 다시 높여야 할 것이다.

　　가톨릭교회는 물질을 중심으로 하는 죽음의 문화가 판을 치는 세상이 아니라 생명의 문화가 꽃피우는 세상이 되어야 함을 강조하고 있다. 따라서 모든 인간은 가톨릭교회가 가르치는 인간 존중과 생명존중에 대한 투철한 사명의식을 지니고 살아가야만 할 것이다.

죄에서 구원으로-기독교 미술에 나타난 생명나무
"보라 내가 너희 앞에 생명의 길과 사망의 길을 두었노라" (예레미아 21장 8절)

전한호(경희사이버대학교)

I. 동산의 나무
I-1. 생명나무, 죽음나무

"여호와 하나님이 동방의 에덴에 동산을 창설하시고 그 지으신 사람을 거기 두시니라 여호와 하나님이 그 땅에서 보기에 아름답고 먹기에 좋은 나무가 나게 하시니 동산 가운데에는 생명나무와 선악을 알게 하는 나무도 있더라"(창세기 2장 8~9절)

창세기 2장 8~9절은 천지를 창조한 이후에 진행된, 소위 두 번째 창조의 역사를 설명해준다.[1] 하나님이 세상을 지으신 다음 인간을 창조하시고, 에덴에 동산을 만들어 그곳에 인간을 거하도록 했다는 내용이다. 본문은 에덴동산이 어디에 위치하고 있

---

1) 이 글에서 인용하는 성경의 내용은 〈성경전서 개역개정〉판을 따름.

그림 1. English Psalter, c.1270-80

고, 그 동산에 있는 나무의 수와 위치, 속성 등에 대해서도 상세히 말해준다. 즉 에덴동산은 세상의 동쪽에 위치했고, 그곳에는 여러 나무가 있었는데, 그들 중에서 특별한 속성을 가진 생명나무와 선악과나무를 동산의 한 가운데 두었다는 것이다.

이후 이어지는 창세기 3장은 인류의 타락을 내용으로 하는데, 특히 2~3절에서 "동산 가운데" 있던 금지된 나무, 선악과나무의 열매를 범하게 되는 하와의 과오를 소개한다. 동산에는 여러 종류의 나무가 있었지만 동산 가운데 있는 나무의 실과만은 범하면 안 되는 것이었다. 뱀으로부터 유혹을 받은 하와는 과실을 먹으면 "죽게 되리라"고 말하지만, 오히려 간교한 뱀은 눈이 밝아져 선악을 알게 되어 신과 같이 될 것이라고 하와를 설득한다. 그런데 하와와 뱀이 말하는 동산 중앙의 나무는 생명나무일까 선악과나무일까? 성경의 설명만으로 구분하기는 다소 모호하다. 하와가 죽음을 주는 나무, 생명나무를 말하고 있다면, 뱀은 눈이 밝아지는 나무, 선악과나무를 말하고 있기 때문이다. 혹은 두 가지 속성을 가진 하나의 나무일까? 왜냐하면 선악과를 따먹은 결과로 인간은 죽음을 얻게 되는데, 이렇게 보면 선악과나무는 생명나무였고, 생명나무는 생명이 아닌 죽음을 주는 나무가 되기 때문이다. 하지만 선악과 사건 이후 "보라 이사람이 선악을 아는 일에 우리 중 하나같이 되었으니 그가 그의 손을 들어 생명나무 열매도 따먹고 영생할까"(창3,22) 염려하는 장면에서 선악과나무와 생명나무는 다시 구분된다.

영원한 생명을 약속하는 신목(神木)에 대한 이야기는 근동 등 여러 지역에서 널리 알려졌던 신화적 모티프이다.[2] 북유럽신화에는 이그드라실(Yggdrasil), 그리스신화에는 헤스페리데스(Hesperides)의 나무, 이란에는 호른(Hom) 나무 등이 알려져 있다. 붓다도 보리수나무 아래서 깨달음을 얻으며, 인류 최초의 서사시인 길가메시에도 신들

2) Sibylle Selbmann, Der Baum. Symbole und Schicksal des Menschen, Harlsruhe 1993.

의 숲에 있는 생명나무를 훼손하여 생명을 잃게 되는 엔키두의 이야기가 소개된다. 이러한 일련의 이야기에서 나무는 성과 속, 생명과 죽음, 신과 인간 사이에서 일종의 매개체 역할을 한다. 즉 나무는 인간적인 한계를 벗어나 신적인 것에 다다르는 길로써 기능하는데, 이들 이야기에서 나무는 차이와 일치의 상징이라는 공통점을 보인다. 이는 마치 죽음과 삶이 다른 속성인 채 한 몸을 이루는 것과도 비유될 수 있다. 에덴동산의 생명나무도 마찬가지이다. 생명을 주는 나무로 불렸지만 죄의 잉태로 죽음을 선사하는 나무가 된다.

그림 1-1. York Psalter, c.1170

사실 생명나무란 이미 동어반복적이다. 나무는 말 그대로 살아있음을 의미하기 때문이다. 더구나 아담은 이미 "코로 생기를 얻어" 낙원에서 살아가는 자였다. 굳이 생명나무를 통해 영원한 생명을 구할 필요가 없었다. 따먹지 말라는 신의 명령에도 불구하고 인간들은 신과 같아지리란 기대 때문에 잃게 된 것은 영원한 생명이고, 얻게 된 것은 죽음이다. 영원한 생명은 알지 못한 채 이미 소유했던 것이지만 교만으로 인해 잃고 말았다.

이처럼 에덴동산 사건에서 신을 거역하게 만든 선악과나무는 생명나무와 직접적인 연관을 가지며, 삶과 죽음의 떼려야 뗄 수 없는 속성에 대한 상징적 표현이 된다. 이러한 맥락 속에서 성경은 인류가 영원한 생명을 향유했던 시절의 에덴동산을 낙원으로 설명한다. 낙원추방을 통해 인간은 죄와 죽음을 얻었기에 영원한 생명을 얻는 것이야말로 기독교 구원 역사의 핵심적 메시지가 된다. 이 글은 중세-르네상스 미술이 잃어버린 낙원에 대한 꿈과 열망을 생명나무를 통해 얼마나 다양한 방식으로 제시하고 있는지 살펴보고자 한다.

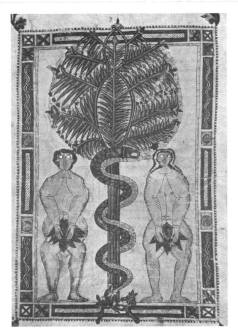

그림 2. Bernward's Bronze door (detail) 1015, Cathedral, Hildesheim

그림 3. Beatus-Apocalypse, Adam & Eve, c. 950

I-2. 금지된 나무의 종류와 수

에덴동산의 나무들은 모두 "보기에 아름답고 먹기에 좋은"(창2,9) 것들이었다. 그들 중 동산 가운데 있는 선악과나무와 생명나무는 접근이 금지된 대상이었다. 이들은 매우 비밀스러운 존재로 신에게 속한 나무였다. 하지만 이들 나무가 어떤 종류인지 성경에는 아무런 설명이나 언급이 없다.

에덴동산의 생명나무와 선악과나무는 어떤 나무일까? 생명나무와 선악과나무는 같은 나무였을까 아님 다른 나무였을까? 중세신학이 이 문제에 대해 모호한 입장을 취하는 것과 달리 현대 학자들은 두 그루가 아닌 하나로 해석하기도 한다.[3] 흥미롭게

---

3) 에덴동산의 나무의 종류와 수에 대해서는 Ute Dercks, Two Trees in Paradise? A Case on the Iconography of the Tree of Knowledge and the Tree of Life in Italian Romanesque Sculpture, in: Pippa Salonius and Andrea Worm(eds.), The Tree: Symbol, Allegory, and Mnemonic Device in Medieval Art and Thought, Turnhout: Brepols 2014, pp. 143-158; Jutta Krispenz, Wie viele Bäume braucht das Paradies? Erwägungen zu den Gen II 4B-III24, in: Vetus Testamentum

도 생명나무는 창세기에만 나오고 이후 언급이 없으며, 요한계시록(22,2)에서 새예살렘성을 의미하는 상징으로 나타난다. 요한이 환상을 통해 바라본 광경에는 강 좌우에 열매를 단 나무로 묘사되어 옛 에덴동산의 회복을 상징한다.[4]

그림 4. Sarcophagus of Junius Bassus, c. 350

우선 생명나무의 종류에 대해 살펴보자. 오랫동안 에덴동산을 묘사하는데 있어서 생명나무를 통한 '금지된 향락'은 기독교미술의 중심 주제였다. 죄의 발생에 해당하는 인간의 타락은 주로 다음의 세 주제로 다루어진다. 1. 선악과를 따먹는 행위—이는 신과 동일한 위치를 주장했던 내용으로 주로 하와의 행위와 아담의 방조가 대조를 이룬다.(도 1) 2. 낙원으로부터의 추방—영생을 잃게 된 사실에 대한 후회와 슬픔을 묘사한다. 3. 낙원 이후의 삶—여자와 남자로서의 삶을 성경이 제시한 것과 같은 모습으로 보여준다. 이처럼 초기기독교미술 이후 빈번하게 주제로 삼는 에덴동산에 대한 묘사는 죄의 발생, 낙원추방과 같은 종말론적 개념을 위해 상징적으로 등장한다고 할 수 있다. 여기서 나무는 낙원을 대표하는 상징물로 나타나지만 중심주제가 아닌 서사를 위한 배경요소로 다루어진다. 동산의 나무를 중심대상으로 삼는 경우는 드물다. 그럼에도 동산의 나무는 에덴을 묘사하기위해 빼놓을 수 없는 대상이었고, 더구나 낙원의 의미를 전달하기 위해서는 필수적 요소였다. 무엇보다 선악과나무는 낙원과 실낙원, 곧 삶과 죽음을 경계 짓는 나무로서 '금지된 향락'의 원인이 되기 때문이다. 선악과나무는 분명 열매를 달고 있는 나무지만 어떤 종류의 과일인지 분명하지 않다. 하지만 이 점은 어느 시대, 어떤 예술가에게도 문제가 되지 않았다. 차라리 동산의 나무로 추상적인 형태가 선호되기도 한다.

1015년경 제작된 독일 힐데스하임(Hildesheim) 성당 청동문에 묘사된 생명나무 또

54(2004), pp. 301-318 참조.
4) 앞의 책, p. 144.

그림 5. Reliquary of San Isidore (detail)

그림 6. Harbaville Triptych, 10c., Louvre

는 선악과나무는 매우 독특한 형태를 보여준다. 더구나 전개되는 내용에 따라 나무의 형태를 달리하여 이야기 전개를 위한 중요한 역할을 담당하고 있음을 알 수 있다.(도2) 좌우 8개씩, 전체 16개의 장면으로 구성되는 청동문은 왼편 하와의 창조로 시작되는데, 이 장면에서 동산의 나무는 마치 서로 엮인 모습을 보여 자신의 배필에 대한 아담의 기대감을 암시하는 듯하다. 아래쪽 하와를 창조하여 아담에게 이끄는 장면에서 나무는 우산모양의 형태로서 이쪽저쪽으로 휘어진 나뭇가지의 모습이 생명의 활기를 느끼게 한다면, 다음 장면인 낙원추방에서는 나무가 이전의 생기를 잃고 고개를 숙이고 있어 인간의 운명에 대한 암울한 미래를 예견하게 한다. 이렇듯 인간에게 금기된 나무, 에덴의 나무는 추상적인 형태지만 사건의 극적 전개를 위해 효과적인 수단으로 작용하고 있음을 알 수 있다.

한편 나무는 그 종류를 구분하지 않아 오히려 보지 못한 것들에 대한 믿음을 강화시켜준다고 할 수도 있다. 자연에서 보지 못한 추상적인 형태의 나무와 과실을 통해 낙원에 대한 갈망을 보다 적극적으로 반영하기위한 의도라고 볼 수 있다. 세상의 나무가 아닌 낯선 종류의 나무이기에 잃어버린 낙원에 대한 기대와 환상은 더욱배가될 수 있기 때문이다. 어떤 예술가에게도 낙원의 나무를 결정하도록 요구되지 않았지만, 자연의 나무로 묘사되는 경우 사과나무, 종려나무, 무화과나무 등으로 나타난다. 일반적으로 사과나무나 레몬나무와 같은 종류로 표현되는 것은 보기에도 아름답고 먹음직한 열매를 달고 있다는 이유 때문일 것이다.[5] 낙원의 나무를 한 종으로 묘사하는 경향은 회피되었지만, 예외가 있다면 무화과나무이다. 에덴동산 묘사에서 등장하는 나무들은 종류에 따라 그 나름대로의 이유와 의미를 갖는다.

그림 7. Gislebertus, Eva, ca. 1130, Musée Rolin in Autun

무화과나무는 에덴동산 묘사에서 선호되었다. 낙원의 나무로 무화과나무가 즐겨 묘사되는 이유는 넓은 잎과 튼실한 열매를 가졌기 때문이다. 선악과를 따먹은 후 최초의 인류는 자신들이 벗은 줄을 알았고, 나뭇잎을 따서 그들의 몸을 가리는데 이때 무화가나무가 단골로 등장한다. 그밖에도 모세 외경은 인간의 범죄 후 선악과나무, 곧 무화과나무가 시들어 버렸다고 전하며, 아담은 그의 셋째 아들인 셋(Seth)에게 그가 동산에서 먹은 과실이 무화과열매였다고 고백했다고 전하기도 한다. 이로부터 낙원의 나무를 무화과나무로 묘사하는 전통의 실마리가 만들어졌다.[6]

'금지된 과일'이란 의미로서 malum noxale가 무화과나무에서 사과나무로 바뀌어 나타나는 것은 대략 5세기경부터다.[7] 이는 지역적, 환경적 차이의 영향으로 보인다. 특별히 사과는 근동지역에서 자라는 과일이 아니었고, 반대로 무화과나무는 서유럽에는 드문 과일이었다. 사과나무를 선호한 이유로는 고대의 전설이나 그리스신화가 소개하는 헤스페리데스의 동산에 자라는 황금사과와의 연관성도 생각해볼 수 있다.

5) Reallexikon zur Deutschen Kunstgeschichte(RDK), Vol. II. cols. 63-90. 이 때문에 사과나무는 인식과 불멸성, 욕망 등을 상징하는 과일로 묘사된다.(본 글은 인터넷 버전 RDK Labor를 참조하였다. RDK Labor 〈나무〉 http://www.rdklabor.de/wiki/Baum).
6) Von Erffa, Hans Martin, Ikonologie der Genesis: Die christlichen Bildthemen aus dem Alten Testament und ihre Quellen, Berlin: Deutscher Kunstverlag, 1989, p. 120; Dercks, 위의 책, p. 146.
7) malum에서 a를 길게 발음하면 '사과', 짧게 발음하면 '나쁜'의 의미가 된다.

그림 8. Tympanon, St. Martin" Elstertrebnitz, Leipzig, 12c

낙원의 나무에 대한 구체적 묘사는 처음 초기기독교미술에서 살펴볼 수 있다. 3세기경 카타콤베에서 〈아담과 하와의 타락〉에서 볼 수 있는 것처럼 나무의 종류는 주로 종려나무로 제한된다. 특히 무덤조각에서 다수의 사례를 찾아볼 수 있는데, 359년 제작된 로마관료였던 〈유니우스 바수스(Junius Bassus)의 석관〉(도 4)이 대표적 사례이다. 두 단으로 구성된 석관의 아랫단 왼쪽에서 두 번째 장면은 최초 인류의 범죄를 주제로 다루고 있다. 아담과 하와를 양 옆에 둔 중앙의 나무는 뱀이 감고 있어 선악과임을 암시하는데, 큰 잎과 열매를 통해 종려나무임을 확인할 수 있다. 석관의 부조는 고대미술의 영향으로 인물과 사물이 모두 사실적으로 묘사되고 있지만, 이후로부터 12세기 전반기에 이르기까지 낙원의 나무가 어떤 종류의 나무인지 정확히 분간이 어려운 상태로 묘사된다. 나무의 종류에 대한 구체적인 묘사를 회피하는 대신 넓은 잎과 둥근 과실을 달고 있어 선악과나무를 암시할 뿐이다.

중세 내내 동산의 금지된 나무는 여러 종류도 나타나지만 그 수도 한 그루, 두 그루 혹은 세 그루로 혼동되어 묘사된다. 세비야의 이시도르(Isidore of Sevill, c.560~636)의 성물함(도 5)에서는 두 그루로 묘사된다. 그러나 아담과 하와의 양편에 서있는 나무들은 특정한 나무라기보다 위쪽에 나팔꽃과 같은 세 개의 화관(花冠)을 가져 세상의 어떤 나무와도 닮지 않은 형태이다. 하르바빌(Harbaville) 제단화의 뒷면(도 6)에는 동산의 나무가 중앙의 십자가를 양옆에서 보위하고 있는 모습인데 포도넝쿨이 휘감은 사이프러스나무로 여겨진다. 세 그루의 나무가 등장하는 이유는 십자가전설에 따른 참 십자가(True Cross)에 대한 은유를 보여주기 위함이다. 전설에 따르면, 아브라함의 아들인 셋이 심었다는 세 나무가 자라 나중에 하나로 합쳐져 예수가 달리는 십자가가 되었다.[8] 외경 중 '아담과 하와의 생애'에서도, 아담의 아들인 셋이 기름을 구하

8) Dercks 위의 책, p. 144.

러 에덴동산을 찾아갔으나 천사에 의해 제지
당하고 만다. 대신 천사로부터 씨앗을 얻어
아담의 무덤에 심어 세 나무가 자라는데 나
중에 한 그루의 큰 나무로 합쳐져, 노아의 방
주, 솔로몬 왕의 예루살렘 성전을 짓는데 쓰
이고 종국에는 예수가 달리는 십자가가 되었
다고 전해진다. 이처럼 세 그루 나무가 한 그
루로 합하여 십자가가 됨을 하르마빌 제단화
는 예시하고 있다.

로마네스크는 자연에 대한 관심이 무르익
던 시기로 낙원의 나무에 대한 묘사도 다양
하게 나타나기 시작한다.9) 특히 평면적인 작
업인 회화보다 관람의 조건이 보다 용이했던

그림 9. Berthold Furtmeyer,
Tree of Death and Life, c. 1481

조각에서 더욱 자연에 근접한 묘사가 발달하기 시작하는데, 동산의 나무에 대한 묘사
는 예외적으로 아직 추상성이 유지된다.10) 오텅(Autun) 롤랭(Rolin) 미술관에 보관된 〈
하와〉(도 7)를 보면, 인물표현은 매우 섬세하고 자연스럽게 처리된데 반해 나무는 추
상적인 형태로 묘사되어 있다. 한 그루는 딸기 모양의 과실을 달고 있고 다른 하나는
둥글고 큰 과실을 달고 있으며, 각기 잎의 모양도 다르다. 하와가 손을 뻗어 먹으려는
뒤쪽의 탐스런 과일은 잎과 과일의 모양에서 앞쪽의 나무와 분명하게 구분된다. 이러
한 상이한 묘사에서 동산의 나무는 두 그루로 묘사되고 있음을 알 수 있다.

독일 라이프니츠 근처의 작은 마을인 엘스터트렙니츠(Elstertrebnitz) 마리아교회 서
쪽포탈 팀파눔(도 8)에는 중앙의 그리스도에게 왼편에는 순결을 상징하는 백합을 든

---

9) Sauerländer, Williwald, Gotische Skulptur in Frankreich 1140-1270,
München;Hirmer 1970. 자우어랜더에 따르면, 로마네스크 미술의 발전은 기술적, 경
제적 발전과 맥을 같이 한다. 새로운 노동시스템, 건축가와 건축주, 공방과 조각가 사
이의 효율적 협업이 요구되던 시기였다. 이러한 맥락에서 새로운 양식의 출현은 단순
히 예술가의 창안을 넘어 시대적 정서를 대변하는 것으로 이해되어야 한다.
10) 로마네스크성당 포탈에서 흔히 볼 수 있는 월력화의 발달을 통해서도 비슷한 양상을
살펴볼 수 있다. 각 달에 해당하는 노동의 속성을 보여주는 월력화는 자연에 대한 이해
와 관찰을 토대로 생생한 묘사가 특징적으로 나타난다.

그림 10. Hieronymus Bosch,
The Ship of Fools, 1490-1500, Louvre

사제가, 반대쪽에는 오리를 대동한 평민이 경배를 하고 있다.[11] 그리스도를 사이에 두고 오른편의 십자가가 선악과나무를 대신한다면, 왼편의 나무는 생명나무로 여겨져 낙원의 나무는 두 그루로 묘사되고 있다. 나아가 선악과나무는 십자가의 죽음과 연관되어 죽음을 잉태한 나무가 구원, 곧 생명을 잉태하는 나무로 바뀌었음을 보여준다. 결국 중앙의 예수는 원죄의 선악과를 대신해 생명의 과일로 비유되는데, 그리스도가 성경을 들고 제단 위에 나타나는 이유가 된다. 이레네우스(Irenaeus)의 말처럼 인간은 "나무로 인해 죄를 짓고 나무로 인해 죄 사함을 얻었"음을 엘스터렙니츠 마이아교회 팀파눔은 보여준다.[12]

성경은 생명나무와 선악과나무를 각각 다른 듯 설명하고 있지만, 한 그루의 나무로 묘사하여 그 의미와 역할을 전하기도 한다. 베르톨도 푸르트마이어(Bertold Furtmeyr)의 세밀화(도 9)에는 선악과를 상징하는 나무에 사과와 함께 죄 또는 죽음의 상징인 해골이 함께 나타난다.[13] 나무의 좌우에는 두 여인이 각각 그의

---

11) 평민의 복장과 오리를 통해 슬라브지역의 농민으로 추정되기도 하며 당시 진행된 기독교의 전파와 같은 사회적 배경이 이와 같은 묘사방식에 영향을 준 것으로 해석되어 대략 1100년경을 제작시기로 삼는다.
12) Ritchey 위의 책 p. 69에서 재인용.
13) 비슷한 사례는 독일 화가인 쇼이펠라인(Schäufelein)이 1516 제작한 목판화 등에서도 찾아볼 수 있다.

추종자들에게 열매를 나눠주고 있는데, 왼편 마리아는 십자가를 통한 생명을, 반대쪽 하와는 죄(해골)을 통한 죽음을 선사하고 있다. 결국 낙원의 나무는 생명과 죽음을 함께 지닌 한 그루로 묘사되고 있다.

16세기에는 생명 또는 구원에 대한 약속 없이 단지 죽음을 잉태한 선악과나무에 대한 묘사도 자주 나타난다. 보스(Hieronymus Bosch)의 〈바보들의 배〉(도 10)에는 바보들의 우둔한 행위를 죄와 악으로 묘사하고 있다. 먹고 마시며 세상의 향락에 빠져있는 어리석은 인간들이 타고 있는 배에는 살아있는 나무를 돛대로

그림 11. Hans Sebald Beham, Adam and Eve, 1543

사용하고 있는데, 나무 위에 해골이 보여 선악과나무를 은유한다. 이는 세바스챤 브란트(Sebastian Brandt)의 〈바보들의 배〉에서 차용한 모티프로서 선악과나무를 통해 낙원에서 지은 죄야말로 인류 최고의 우둔함이라고 말하고 있다. 즉 낙원의 아담과 하와가 지은 죄의 근원이 바로 어리석음이었고 그 결과로 죽음을 맞이하게 되었다는 비유인데, 죽음의 돛대에 의지하는 항해도 결국 어리석음으로 말미암아 운명적 파국을 맞이할 것임을 시사해준다.[14]

베함(Hans Sebald Beham)의 목판화(도 11)에서 아담과 하와 사이의 선악과나무는 아예 해골로 묘사된다. 이는 동산의 나무가 죽음을 선사하는 선악과나무라는 직설적인 표현에 해당한다. 아담과 하와, 해골로부터 자란 뱀은 선악과로 인해 서로 연결되고 있을 뿐 죄와 죽음의 극복은 보스의 그림에서와 마찬가지로 요원한 문제로 남겨진다.

---

14) Romuald Bauerreis, Arbor vitae: Der "Lebensbaum" und seine Verwendung in Liturgie, Kunst und Brauchtum des Abendlandes, München 1938, 75-76. 나무에 해골을 달아 선악과나무를 은유하는 방식은 중세 내내 이어진 전통이었다고 볼 수 있다.

그림 12. St. Michael, Hildesheim, 1015/1200

이러한 선악과와 죄 또는 죽음과의 연결은 반대로 그리스도의 형상이 함께 묘사되어 죄의 극복을 암시하기도 한다. 힐데스하임 성 미가엘(St. Michael)교회의 1300개의 나무패널을 이어 만든 장대한 천정화는 〈이새의 나무〉를 주제로 삼고 있다. 이새로부터 시작하는 구원의 역사가 시작되기 전 죄악의 발생을 묘사하는 실낙원 사건은 맨 아래쪽에 묘사되고 있는데, 세 그루 나무 중 아담의 오른편 나무에는 반신상의 그리스도가 나타난다.(도 12) 이는 죄의 발생에도 불구하고 그리스도를 통한 구원의 암시로서 이새의 나무가 자라 예수를 열매로 맺게 될 것이란 예시에 해당한다고 볼 수 있다.

II. 생명나무의 은유
II-1. 십자가 나무

생명나무는 낙원의 평화를 상징함과 동시에 낙원 상실에 대한 이미지이다.[15] 성경이 원죄사건 이후 선악과 또는 생명나무에 대해 언급하지 않는데 그 이유는 인간의 범죄 이후 생명나무는 더 이상 원래의 상태로 접근이 불가능해지고 말았기 때문이다. 이로부터 신에게 다시 돌아가고자, 잃어버린 낙원을 찾고자하는 인류의 여정이 시작된다. 구약의 여러 사건들을 통해 알 수 있는 것처럼 성경은 낙원 회복에 대해 구체적

---

15) 에덴 동산에 대한 이미지에는 주로 잃어버린 완전함에 대한 향수와 갈망이 녹아있다. 그 소망의 이미지는 계시록 2장 7절에도 나타나며, 심지어 생명나무는 구약성경에서 언급되는 성막의 일곱 가지를 갖는 금촛대 이미지와도 겹친다. 잔 모양의 살구꽃 형상을 띤 촛대를 통해 에덴의 이미지를 갖는 것으로 이해된다.

인 해결의 실마리를 제공하는 것이 아니다. 대신 은총과 저주, 구원과 심판, 죄와 경건 같은 내용들을 통해 간접적으로 제시하며, 여기서 나무는 중요한 상징적 역할을 담당한다.[16] 마침내 구원자 예수의 등장과 함께 생명나무는 다시 인간과의 근접된 거리로 들어오게 되는데, 바로 십자가의 죽음을 통한 교리를 통해서다. 따라서 예수가 달리는 십자가 나무는 곧 생명나무가 되며, 새로운 형태를 부여받고 선악과의 속성을 지우게 된다.

그림 13. Heinrich Seuse, Exemplar, Einsiedeln

일명 '십자가 나무'는 잘 다듬어진 목재의 형태가 아닌 잎과 꽃, 열매 등을 단 살아있는 나무의 모습을 띤다는 점에서 일반적인 십자가와 구별된다.[17] 형태상 잎을 틔우고 자라는 십자가 나무는 말 그대로 생명나무의 속성을 가지며, 의미상 예수의 희생으로 인한 구원, 곧 낙원으로의 길을 되찾게 되었음을 뜻한다. 또한 십자가 나무는 '시든 나무'와 대조를 이루는데 초기기독교 교부 테르툴리아누스(Tertulianus, c. 160-220)는 "생명이 달리는 나무"로 언급하기도 한다.[18] 보나벤투라(Bonaventura, 1221-1274)도 십자가를 생명나무로서 계시록과의 연관 속에서 꽃을 피우고 잎을 달

그림 14. Decorated initial T from Drogo's personal sacramentary, 9c, Metz

---

16) RDK Labor 〈나무십자가〉, http://www.rdklabor.de/wiki/Baumkreuz참조.
17) 앞의 책.
18) Gerhart B. Ladner, Vegetation Symbolism and the Concept of Renaissance, in: De Artibus opuscula XL. Essays in Honor of Erwin Panofsky, Vol.1, New York 1961, pp. 302-322.

그림 15. St. Maria im Kapitol, Köln, 1304

고 있는 나무로 설명한다. 14세기 신비주의자인 마이스터 엑카르트(Meister Eckhart)는 십자가 나무를 신성한 나무로서 "천국의 삶을 꽃 피우는 매혹적인 나무"로 묘사하여 낙원과의 연관성을 강조하기도 한다.[19]

십자가 나무는 그 종류에 있어서 주로 장미나무나 포도나무, 참나무 등으로 묘사된다. 신비주의자이자 도미니크회 사제였던 조이제(Heinrich Seuse, 1295-1366)에 따르면, 장미나무는 수난의 상징에 해당한다. 스위스 아인지델른(Einsiedeln)에 보관된 조이제의 저술인 "Exemplar"는 〈장미나무의 그리스도〉(도 13)를 묘사하고 있는데, 왼쪽에 무릎을 꿇은 한 사제가 꽃이 만발한 장미나무 가운데 고통 중의 그리스도를 만나고 있는 중이다. 반대쪽에는 예수로 상징되는 어린 아이가 사제에게 장미다발을 선사하고 있다. 장미는 그림에서처럼 꽃 중의 꽃으로 신의 사랑과 완성, 천상의 꽃을 의미하지만 수난과 고통을 뜻하기도 한다. 사제가 머리에 장미화관을 두르고 있어 예수 고난에 대한 명상 수행 중 사랑의 선물을 받고 있다는 것을 장미넝쿨을 통해 형상화하고 있다.

십자가 나무의 모티프는 중세 세밀화에서 그 근원을 찾아볼 수 있다.(도 14) 필사본을 보면, 이니셜이 십자가의 형태로 꾸며지기도 하는데, 가로목이 줄기처럼 휘어지거나 장식되는 것을 볼 수 있다.[20] 대표적인 예로서 9세기 메츠(Metz)에서 제작된 기도서에는 포도넝쿨로 덮인 십자가를 볼 수 있다. 특히 십자가 아래쪽의 소가 죄를 의미한다면, 위쪽의 양은 희생을 상징하여 십자가 죽음의 신학적 의미를 되새긴다. 이후 십자가 나무는 점점 자라나는 자연스러운 형태로 변하여 소위 Y자 형태의 십자가

---

19) RDK Labor 〈나무 십자가〉, 위의 책.
20) 라반탈(Lavanttal)의 성 폴 (St. Paul) 베네딕트수도원 기도서(Missale) 등 참조.

로 발전하게 된다. 특히 14세기 독일 라
인지역에서 유행한 일명 '갈퀴 십자가
(Gabelkreuz/Fork Cross)'(도 15)는 고난의
십자가상(Crucifixus dolorosus)의 대표적인
예에 해당한다. 나무의 옹이나 잘라낸 가
지뿐 아니라 자연스럽게 휜 나뭇가지의
형태를 보이는 십자가는 실제 살아있는
나무의 속성을 강조하며, 중의적으로는
선악과나무를 상징한다. 이는 죄에 대한
은유로서 예수의 십자가 죽음의 배경임
을 암시한다. 무엇보다 가공되지 않은 나
무의 형태를 갖는 이러한 '갈퀴 십자가'
는 특히 예수의 고난과 죽음을 강조하기
위함이다. 가는 팔과 다리는 뒤틀리고, 앙
상하게 뼈가 드러나는 몸에는 굵은 피가
선연하여 보는 이에게 예수 수난의 의미
를 되새긴다. 고개를 숙인 얼굴에서도 고
통의 흔적이 역력하여, 13세기 신비주의
자들이 십자가에 대한 명상을 위해 발전
시킨 것으로 이해된다.[21]

그림 16. Vreden (Westfalen), ca. 1350

　　14세기에 들어서 수도원에 국한되었던 이러한 십자가 나무는 점차 독립적인 장르
로 발전하기도 한다. 브레덴(Vreden)의 한 교구교회가 보관하고 있는 사제복에는 십
자가 나무가 마치 분수의 물줄기처럼 하늘로 치솟아 오르고 자라나는 나무로 그려지
는데 가지들이 아래로 늘어지며 둥글게 원을 그리고 있다.(도 16) 이처럼 장식적인 형
태로 나타나는 패턴화된 십자가 나무는 대체로 나뭇잎의 모습을 통해 참나무임을 알

21)　Fried, Mühlberg, Crucifixus Dolorosus. Über Bedeutung und Herkunft des
　　gotischen Gabelkruzifixes. in: Wallraf-Richartz-Jahrbuch22(1960), pp. 69-80.

그림 17. Crucifix, 1420-1425, St. Lorenz, Nuremberg, Germany

수 있는데, 여기서 참나무는 무한한 생명을 의미한다.[22]

15세기는 십자가 나무가 가장 선호된 시기라 할 수 있다. 뉘른베르크 로렌쯔(Lorenz)교회의 십자가 나무는 포도나무의 형태를 띠고 있는데, '갈퀴 십자가'에서와 달리 예수는 극적인 고통을 호소하지 않는다.(도 17) 포도나무는 이미 초기기독교 이래 그리스도의 상징이었고, 예수의 수난과 피를 상징하여 성체의 의미로 해석되었다. 로렌쪼교회의 십자가는 원래 제단부와 네이브(nave)를 나누는 벽(Lettner/Rood Screen)에 있던 '승리의 십자가'였는데, 이전 메마른 가지를 통해 고통을 강조하던 것들과 달리 풍성한 과일을 달고 있어 그리스도의 희생으로 하나의 백성을 이룬 이스라엘을 뜻한다고 볼 수 있어 나무의 속성에 따른 의미의 변화를 감지할 수 있다.[23]

다음으로 살펴볼 십자가 나무의 다른 형태는 사뭇 도식적인 형식 속에 도그마의 설명을 위해 사용된 사례들이다. 이들 십자가 나무는 그리스도의 삶과 죽음, 부활을 알리기 위한 이미지임과 동시에 〈이새의 나무〉처럼 영적교육용으로 활용되었다.[24] 이들 이미지들은 집단적 뿐 아니라 개인적 명상의 도구로 널리 사용되었고, 특히 수도회와 같은 공동체의 구성원들이 모여 기도를 할 때 그리스도, 마리아와 마치 한 나

---

22) 대표적으로 독일 낭만주의 화가 카스파르 다비드 프리드리히(Caspar David Freidrich)의 작품들에 나타나는 참나무의 종교적 의미가 여기에 해당하여 생명성의 상징으로 해석된다.
23) 호세아10,1 "이스라엘은 열매 맺는 무성한 포도나무라"; Aloys Butzmann, Christliche Ikonographie. Zum Verstehen mittelalterlicher Kunst, Paderborn 2001, p. 174.
24) Ritchey 위의 책, p. 65.

무의 가지처럼 공동체를 이루고 있
다는 확신을 갖게 해주었다. 이러
한 이미지를 통한 성인들과의 공
존은 집단적 경험에 무게와 깊이를
더해주어 일종의 성스런 의례가 되
는 환경을 조성해주었다.

호엔부르크(Hohenburg) 수도원
원장이었던 헤라트(Herrad)에 의
해 제작된 호르투스 델리키아룸
(Hortus deliciarum, 1176-1196)에서
이러한 역할과 기능을 살펴볼 수
있다. 책자의 80장(fol. 80v.)(도 18)
에는 성부가 그림의 맨 아래쪽에
창조주로 등장한다. 텍스트에 따르
면, 성부는 신의 왕국에 나무를 심
었는데, 그 나무는 지금 거의 완성

그림 18. Herrad von Landsberg, Hortus Deliciarum,
Hohenburg (Elzas), c. 1185

체로 자란 상태이다. 이 나무는 바로 생명의 나무로 세계 여러 나라의 민족과 백성,
사제와 순교자들이 열매로 자리한다. 흥미롭게도 호엔부르크 수도원의 수녀들도 그
림 위쪽의 왼쪽 구석에 작게 묘사되어 그들 역시 전체 나무의 한 구성원으로 참여하
고 있다는 인상을 갖게 해준다. 이들에게 신이 계획한 세계의 일원으로 성장하고 있
다는 확신은 묘사되는 산의 모습이 호엔부르크 수도원이 위치한 오딜레(Odile)산을
연상시켜주어 더욱 짙어진다. 결국 헤라트는 그리스도와 수도원 수녀들의 관계를 도
해한 것으로 수도원의 구성원들은 하나의 뿌리로서 그리스도와 결합되어 있을 뿐 아
니라 서로서로 하나의 가지가 되어 나무 전체를 구성한다는 의미이다. 이는 하나의
신앙공동체로서 구성원들은 나무를 통해 전체의 부분이라는 인식과 함께 가지로서
나무의 줄기와 절대 분리될 수 없는 존재란 확신과 깨달음을 갖게 해준다. 수녀들은
이러한 '나무'를 보고 명상하면서 그리스도와 하나가 됨을, 서로 연결되어 하나의 공
동체를 구성하고 있음을 느끼게 된다.

독일 이외 이탈리아에서도 십자가 나무에 대한 묘사는 중요하게 다뤄진다. 독일과 마찬가지로 이탈리아의 십자가 나무도 교훈적이라는 특징이 있다. 심지어 나뭇가지는 글자띠로 구성되며, 원형 메달을 달아 교회의 도그마를 설명하는 형식을 띠기도 한다. 이때 그리스도는 일반적으로 생명나무의 가장 주된 줄기를 이룬다.

1305년경 몬티첼리(Monticelli)의 청빈의 클라라 수도회에서도 십자가 나무를 이용한 기도방식이 사용되었다. 대표적으로 파치노 디 보나귀다(Pacino di Bonaguida, c. 1280-1340)의 작품(도 19)을 보면 십자가가 생명나무로 묘사되고 있다. 그리스도가 달린 나무의 맨 아래쪽에는 창조사건과 인간의 타락이 묘사되고 있어, 나무는 인류의 죄로부터 기인하고 있음을 알려준다.[25] 십자가 발치에는 두루마리를 든 프란체스코와 클라라 등의 성인을 볼 수 있다. 프란체스코의 경우 사도 바울의 고백인 "우리 주 예수 그리스도의 십자가 외에는 자랑할 것이 결코 없느니라"(갈6,14)를 들어 예수의 십자가 죽음을 명시하고 있다. 다른 성인인 에스겔은 나무가 자라 열매가 자라고 그 잎이 시들지 않는 생명의 근원으로서 그리스도를 말하고 있으며,(에스겔서47,12) 다니엘은 "땅의 중앙에 나무가 있는데 그 크기가 높아 땅 끝에서도 보이겠다"(4,10)는 내용을 통해 십자가 나무의 규모와 위엄을 전해준다. 줄기로부터 뻗은 12개의 가지는 이스라엘 12지파 또는 12사도를 상징하며, 가지들에 달린 47개의 열매는 예수의 삶을 탄생으로부터, 성장, 고난과 죽음, 부활과 승천 등을 주제로 다룬다. 왼쪽 아래로부터 오른쪽 위로 읽을 수 있는 이들 원형메달은 성례전에서 쓰는 전병을 연상시켜 그리스도의 희생을 기억하도록 해준다. 선악과나무와 죄에 대한 비유로서 십자가 발치에 해골을 두어 예수 죽음의 배경으로 삼는 것과 대조적으로 나무의 꼭대기에 자리하고 있는 펠리칸은 그리스도의 희생을 상징한다. 이렇듯 십자가 나무는 전체적으로 그리스도가 희생의 제물이 되어 구원의 역사를 이룬다는 성스런 계획을 제시한다.

예수를 몸으로 하여 성장하는 십자가 나무는 결국 관람자를 예수의 수난사를 주제로 하는 개인적 명상을 위한 일종의 안내 장치라 할 수 있다. 이는 궁극적으로 보나벤투라(Bonaventura)의 〈생명나무(lignum vitae)〉(1259)에 대한 직접적 도해에 해당한다. 보나벤투라는 프란체스코 수도회의 수장으로서 공동체의 정비와 규율 강화를 위해

25) 죄 또는 악으로 이해되는 동굴 속의 악마는 15세기경 부분적으로 훼손되었다.

노력했는데, 프란체스코 성인이 말한 바
대로 청빈을 물질적 조건으로서 보다 완
전한 명상의 영적 조건으로 따르기를 주
장했다. 이를 위해 그는 〈생명나무〉를 개
인적 명상용 도구로서 사용하기를 권장
했다.[26] 보나벤투라의 텍스트 역시 구조
적으로 나무의 형태를 띠고 있어 생명나
무와의 연계를 시사한다. 각 단원은 여러
장으로 구성되며, 각 장은 다시 몇몇 에피
소드로 이루어져 예수의 삶과 죽음, 부활
등을 언급한다. 보나벤투라는 텍스트를
통해 독자들에게 머릿속에 나무를 하나
그리고 명상을 통해 이 나무가 자라 온전
한 한 그루가 되는, 일종의 그리스도와 연
합되는 정신적 지도를 완성하라고 권고
한다. 이렇듯 그리스도의 삶의 사건들을

그림 19. Pacino di Bonaguida, 1305-1310,
Galleria dell'Accademia, Firenze

따라가는 동안에 신앙의 가지가 자라나고 개인들은 그리스도를 닮은 성숙한 인간이
되어가는 개인적 수행과정을 보나벤투라의 〈생명나무〉가 제시하고 있는데, 바로 보
나귀다의 〈십자가 나무〉가 보여주는 바와 같다.[27]

　　이처럼 보나귀다의 〈십자가 나무〉는 보나벤투라의 〈생명나무〉와의 연계 속에서
죄로부터 기인한 죽음을 구원의 문제로 명시하고 있다. 또한 예수의 삶을 기억하고
명상하도록 하여 예수와 같이 구원사적 목적에 동참하는 것을 성스러운 과제로 삼는
다. 아울러 개인적 또는 공동체의 신앙심 도모를 목적으로 했던 〈십자가 나무〉는 그
리스도가 활동했던 곳을 그림을 바라보는 지금의 여기로 상정하도록 하여 하나의 공

26)　Rithey 위의 책, p. 84.
27)　14세기 조이제(Seuse)의 명상법도 이와 비슷하다. Das Leben des seligen Heinrich
　　　Seuse, ed. George Hoffman, Düsseldorf: Patmos-Verlag 1966 참조.

동체 안에서 가지로서 각자의 역할을 담당하도록 주문하고 있다.[28]

II-2. 교회

비슷한 방식으로 〈십자가 나무〉를 통해 현재의 교회를 상징하는 예는 로마의 산 클레멘테(San Clemente) 앱스 모자이크(도 20)에서도 살펴볼 수 있다. 금박배경을 바탕으로 전면을 수놓은 거대한 아칸투스 넝쿨 가운데 십자가가 자리하고 있다. 십자가의 그리스도 양 옆에는 요한과 마리아가 보위하고 있고, 십자가에는 12마리의 비둘기가 보인다. 이들 비둘기는 십자가 위쪽에서 내려오는 성부의 손과 연결되어 성령강림을 뜻하기도 하지만 열두 사도를 지칭하기도 한다. 십자가 발치에는 아칸투스잎이 화려하게 감싸고 있는 가운데 물을 찾아온 사슴을 볼 수 있다. 사슴은 시편(42,1)의 내용처럼 그리스도를 찾는 성도로 해석될 수도 있지만, 피지올로구스(Physiologus)가 설명하고 있듯 보다 직접적으로는 옆에 길게 묘사된 뱀으로 인해 사탄과 싸우는 그리스도를 상징하는 것으로 여겨진다. 이렇게 보면, 십자가는 선악과나무와 연결되는 한편 고대의 석관에 자주 묘사되던 아칸투스가 불멸성의 상징이었던 것처럼 생명수의 원천으로 해석된다.[29]

전체적으로 모자이크는 하단부에 도열한 양들을 통해 천상의 예루살렘을 묘사하는 것을 알 수 있다. 나무 아래쪽의 네 줄기 강도 낙원을 직접적으로 암시하는 요소이며, 사방으로 가지를 뻗는 나무는 온 백성과 세상을 품고 있어 최후에 완성될 천국을 상징한다. 곧 계시록이 전하는 "강 좌우에 생명나무가 있어 열두 가지 열매를 맺되 달마다 그 열매를 맺고 그 나무 잎사귀들은 만국을 치료하기 위하여 있더라"(22,2)를 연상시킨다. 이는 아랫단의 명문을 통해 알 수 있는데 궁극적으로 선악과나무는 십자가를 통해 생명나무가 되었음을 알린다. "Ecclesiam Christi viti similabimus isti ... quam lex arentem, set crus facit esse virentem"(그리스도의 교회는 포도나무와 같으니 ...

---

28) 생명나무와 탁발수도회 명상법의 관계에 대해서는 Salonius, Pippa, Arbor Jesse-Ligum vitae: The Tree of Jesse, the Tree of Life, and the Mendicants in late Medieval Orvieto, in: Pippa Salonius and Andrea Worm(eds.), The Tree: Symbol, Allegory, and Mnemonic Device in Medieval Art and Thought, Turnhout: Brepols 2014, pp. 213-241 참조, 특히 pp. 232-236.
29) Butzmann 위의 책, p. 173.

율법에 따라 시들었지만 십자가로 인해 다시 푸르렀다). 여기서 lex는 의심할 바 없이 선악과나무와 관련된 아담과 하와의 범죄를 말하고, crus(crux)는 생명나무를 뜻한다. 이는 죄에 따른 결과로 시든 나무(구약)가 예수의 희생으로 다시 생명을 얻었다(신약)는 도그마를 설명해주

그림 20. Apse-Mosaic, San Clemente, Rome, 12c

는 것으로 잎을 단 십자가가 생명나무로 묘사된 이유에 해당한다. 결국 압도적 크기의 십자가 나무는 생명을 전하는 나무로서 예수의 수난과 희생을 통해 성장하는 교회로 묘사되고 있다. 사방으로 뻗은 넝쿨들에는 여러 상징적 식물들과 함께 성직자들, 목자들의 일상적 모습이 재현되고 있는데, 이들은 그리스도의 죽음, 곧 세례로 거듭나고 항상 자라는 공동체, 에클레시아(ecclesia)를 의미한다.[30]

동산의 나무를 에클레시아와 연결시키는 것은 이미 3세기 키프란(Cypran of Carthago, †248)으로부터 시작된다.[31] 그는 〈De unitate Ecclesia〉에서 발산하는 빛, 흐르는 물과 함께 싹을 틔우는 나무를 에클레시아의 주요 상징으로 설명한다. 암브로지우스(Ambrosius)도 〈De mysteriis〉에서 〈닫혀진 정원〉에서 자라는 나무들은 그 뿌리를 성스러운 샘에 내려 새로운 가지를 뻗고 열매를 맺는다고 설명하고 있다. 나아가 크로마티우스(Chromatius of Aquileia)는 죽음에서 부활한 예수야말로 땅에서 자라난 생명나무라고 말하며, 이로부터 매일매일 교회가 자라나고 새들이 둥지를 트는 거대한 나무가 된다고 말한다. 물론 여기서 가지는 사도, 새들은 신자들을 비유한다.

---

30) Werner Busch, ʹLucas van Leydens ˮGrosse Hagarˮ und die augustinische Typologieauffassung der Vorreformationʹ, in: Zeitschriftfür Kunstgeschichte45 (1982), p. 102; Salonius 위의 책.
31) Eichberg 위의 책, pp. 14-15.

II-3. 시든 나무, 무성한 나무

그림 21. Piero della Francesca, The Resurrection,
1463-65, Museo civico, San Sepolcro

외경에 따르면 아담의 아들 셋이 낙원을 방문하여 선악과나무를 바라본 광경을 세 순서로 묘사한다.[32] 첫 번째로 셋은 잎을 떨어뜨린 시든 나무의 모습을 발견한다. 두 번째는 나무를 뱀이 감고 있어 선악과나무인 것을 알아본다. 세 번째는 마른 나무가 거대하게 자라 마치 하늘까지 닿을 듯 높이 솟아 있는데, 그 꼭대기에 아기예수가 앉아 있는 것을 본다. 15세기에 접어들면 십자가 전설과 함께 잎이 무성한 나무 또는 시든 나무에 대한 비유가 많아지며 다양한 생명나무의 주제로 활용되는데 바로 셋이 바라본 낙원의 풍경에 기초한 것이라 할 수 있다.[33]

셋의 전설은 아레쪼(Arezzo) 산 프란체스코(San Francesco)교회의 '십자가전설'을 다룬 프레스코에서도 나타난다. 피에로 프란체스카의 〈아담의 죽음〉을 보면, 무성하게 가지를 뻗은 나무는 하늘까지 닿을 듯 거대하지만 잎을 떨군 모습에서 선악과나무를 암시한다. 이러한 대조는 프란체스카의 보르고 산 세폴크로(Borgo San Sepolcro) 〈부활〉(도 21) 장면에서도 나타난다. 승리자의 모습으로 무덤에서 일어서는 그리스도의 왼편에는 잎이 없는 큰 나무가, 오른편에는 잎이 무성한 작은 나무가 보인다. 예표론(Typology)적으로 아담은 새로운 아담으로서 그리스도, 하와는 새로운 하와로서 마리아로 해석되는 것처럼, 잎이 시든 옛 나무가 예수를 통해 새롭게 잎을 틔운다는 의미가 된다. 결국 나무를 통해 옛 세계, 곧 죄로 물든 세계가 극복되고 새로운 생명이 예수의 〈부활〉 통해 시작됨을 의미한다. 여기서 시든 나무와 잎이 무성한 나무는 선악

---

32) Ladner 위의 책, pp. 308-316.
33) Busch 위의 책, p. 100 참조.

과나무와 생명나무 또는 구약과
신약의 세계를 상징한다.[34]

신구약의 세계에 대한 비유는
이미 비잔틴 미술에서부터 나타
났는데, 아레쪼의 산타 마리아 디
피에베(Santa Maria di Pieve)교회 파
사드의 오른쪽 문 팀파눔에 묘사
된 〈그리스도 세례〉(도 22)에서
도 확인해볼 수 있다. 세례 요한
의 뒤로는 시든 나무가, 예수의
뒤로는 무성한 나무가 자리하고
있다. 여기서는 시든 나무와 무성
한 나무가 십자가전설과의 연계
없이 등장하고 있는데 세례 요한
은 신구약의 중개자, 매개자가 된
다는 의미이다. 세례 요한이 자주
마른나무와 함께 묘사되는 이유
는 구약의 마지막 선지자로서 자
신의 스러짐과 동시에 예수로 인

그림 22. Santa Maria della Pieve, Arezzo

그림 23. Joachim Patinir, Baptism of Christ, Kunsthistorisches
Museum, Vienna, 1515-1524

한 새로운 시대가 열림을 알리기 위함이다.[35] 16세기 네덜란드화가 파테니르(Joachim
Patenir)의 〈그리스도 세례〉(도 23)를 보면 세례 요한은 마른나무와 함께 나타나 스스
로 사라질 세대임을 암시한다. 결국 생명나무는 중세를 거치며 에덴과의 직접적인 관
련을 넘어 상징적 모티프가 되어 다양한 도상학적 전통을 만들고 있는데, 주로 세례,
부활 등 기독교적 주요사건에 등장하여 의미를 강화시켜 준다.[36]

---

34) Busch 위의 책, p. 101.
35) Rueland Frueauf의 〈요한의 설교〉(Klosterneuburg) 참고. Busch 위의 책, pp.
102-103.
36) 예를 들면, 아레쪼 팀파눔의 세례 장면의 오른쪽 구석, 천사들의 뒤쪽에 작은 나무가
자라는 것을 볼 수 있는데, 자세히 보면 도끼가 놓여 있다. 여기서 도끼는 요한이 외친

그림 24. Joachim Patinir, St. Jerome in the Desert, c.1520, Louvre

　　파테니르의 다른 작품인 〈성 히에로니무스〉(도 24)에서도 무성한 나무와 시든 나무는 대조를 통해 삶과 죽음의 암시를 풍부하게 해준다. 성인은 세상을 등진 채 허름한 움막에서 십자가상을 앞에 두고 고행중이다. 밤낮으로 돌로 가슴을 치며 자신을 죄를 회개했다는 고행의 장소는 멀리 보이는 도시의 풍경과 대조를 이루는 인적 드문 산 속이다. 왼편 화면의 빈 하늘로 높이 자라는 나무는 중앙에 우뚝 솟은 바위산과 대조를 이룬다. 바위산이 인적 끊긴 산세의 험준함을 넘어 고행과 회개의 어려움을 암시한다면, 막 잎을 틔우기 시작하는 나무는 고행을 통해 새 삶을 얻어가는 과정으로 읽힌다. 이러한 해석은 나무줄기를 타고 오르는 담쟁이 넝쿨을 통해서도 뒷받침된다. 담쟁이넝쿨은 늘 푸름을 간직하여 영원한 삶을 상징하는 식물로서 잎을 틔우는 나무와 함께 성인의 고행에 대해 영원한 생명의 약속에 해당된다.[37] 반대로 오른쪽에 보이는 잘린 나무의 밑동은 교만과 세속적 명예의 상징으로 스러질 것을 대변해준다. 성인이 세상으로부터 받은 명예인 추기경의 복장이 그곳에 걸려있는 것도 이런 연유에서다. 이처럼 두 나무의 대조는 성인이 영적 세례에 속하는 회개와 고행을 통해 새로운 삶을 얻는다는 의미로서 낙원의 생명나무, 선악과나무와도 비교된다.

___

회개의 준엄함을 말해준다. 마태복음 3장 10절 참조.
37) 주변의 도마뱀이나 토끼도 회개를 통한 변화의 가능성과 생명성을 암시해준다.

헴스케르크(Heemskerck)의 〈예수
세례〉(도 25)에는 마른 나무와 푸른
나무가 실제 세례의 의미로서 낙원
의 두 나무로 등장한다. 요한으로부
터 세례를 받는 예수의 모은 손은 시
각적으로 화면 안쪽의 아담과 하와
로 연결되어 이제 시작될 예수의 사
역이 원죄로부터 기인한다는 것을
말해준다. 전경의 예수세례 장면에
대해 아담과 하와는 단순히 화면의
배경일 뿐 아니라 역사적 배경으로
서 역할을 한다. 이러한 해석은 예수
와 아담을 가르는 두 그루의 나무를
통해서도 설명된다. 앞쪽의 굵은 나
무가 고목 같아 보여 선악과나무를
연상시킨다면, 뒤쪽의 가는 나무는
늘 잎이 무성한 생명나무와 비교된

그림 25. Maarten van Heemskerck, Taufe Christi, 1563,
Braunschweig, Herzog Anton-Ulrich-Museum

그림 26. Dialogus de laudibus sanctae crucis, 1170/1175

다. 이는 한편으로는 세례 중의 요한과 예수, 곧 구약과 신약, 옛 세계와 새로운 세계
를 암시하며, 다른 한편으로 선악과나무인 십자가와 생명나무인 예수와도 연결된다.

이렇게 보면, 그리스도의 십자가가 선악과나무로 만들어졌다는 것은 용서
와 화해의 의미임을 알 수 있다.[38] 아담의 타락부터 십자가사건까지의 구원사
적 사건을 예표론에 따라 설명하고 있는 〈십자가를 노래함〉이란 12세기 필사
본 중 〈광야의 하갈〉(도 26)에서도 생명나무는 화해의 상징으로 나타난다. 물
을 구하지 못해 낙심에 빠진 하갈에게 천사가 나타나 십자가로 표시된 나무가 있
는 곳에 샘이 있음을 알려준다. 상단의 글귀에 따르면, 하갈은 불신앙으로 갈
증을 키운 시나고그(Synagogue)로 지칭되며, 천사에 의해 십자가 나무(lignum

---

38) Busch 위의 책, p. 109.

 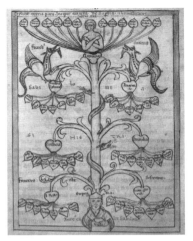

그림 27. Speculum Virginum, Tree of Vices,
Tree of Virtues, c. 1200

그림 27-1. Speculum Virginum, Tree of Vices,
Tree of Virtues, c. 1200

crucis)와 샘으로 이끌려졌다고 설명된다.[39] 여기서도 나무는 생명, 물은 세례의 의미
로 모두 구원의 상징에 해당한다. 결국 하갈이 불신앙을 벗어나 생명을 얻듯, 선악과
나무도 죄로 인해 시들었지만 십자가 나무로 다시 푸르러질 것이 암시된다.[40]

이렇듯 생명과 죽음을 상징하는 나무의 알레고리는 스페쿨룸 비르기눔(speculum
virginum)의 〈선덕과 악덕의 나무〉(도 27)에서도 도식화된 형식으로 나타난다. 12세기
수녀회 교본으로 사용되었던 만큼 스페쿨룸의 나무는 명문을 통해 자세히 설명되고
있다. 뱀이 감고 있는 악덕의 나무는 교만(superbia)의 머리에서 자라 허영(luxuria)의
열매를, 천사의 보위를 받는 선덕의 나무는 겸손(humilitas)에서 자라 사랑(caritas)의 열
매를 맺는다. 흥미로운 것은 두 나무가 많은 열매들을 달고 있지만, 악덕나무의 특징
적인 속성으로 왼쪽(sinistra), 바빌로니아 여인(Babilonia), 육의 열매(fructus carnis)을 말
하고 있으며, 선덕나무는 오른쪽(dextra), 예루살렘(Jerusalem), 영의 열매(fructus spiritus)

---

39) 성경(창 21,14-21)에는 샘물이 있는 장소를 나무가 아닌 덤불이 있는 곳으로 되어있
   지만 미술작품에서는 거의 항상 나무가 자라는 곳으로 묘사된다.
40) 잎을 떨군 나무와 잎이 무성한 나무를 통해 생명의 길(via vitae)과 죽음의 길(via
   mortis)을 설명하는 대표적 작품은 루카스 크라나흐의 〈율법과 은총〉(1529)이다.

를 속성으로 한다는 점이다. 오른쪽을 선, 왼쪽을 악의 영역으로 해석하는 점은 〈최후의 심판〉이나 〈십자가 책형〉에서 좌우를 구분하는 것과 동일하다. 무엇보다 각 나무의 꼭대기 인물을 악덕나무는 옛 아담(vetus Adam)으로, 선덕나무는 새로운 아담(novus Adam)으로 명명하고 있어 선과 악을 아담이 죄를 범한 선악과나무, 예수로 인해 새로운 생명을 잉태하는 십자가 나무를 연상시켜준다.

III. 결론

"죽으면 살리라!" 기독교는 역설(paradox)의 종교이다.[41] 예수는 신의 아들이지만 인간의 몸으로 태어났다. 지상에서의 삶을 십자가의 죽음으로 마쳤지만, 다시 살아 인간에게 생명을 주었다. 이는 기독교 도그마의 근간을 이루는 내용이다. 그리스도의 십자가는 죽음을 극복함으로서 구원의 상징이 되는데, 동산에 있었던 생명나무와 직접적인 연관성을 갖는다. 아담과 하와는 처음 신과 일치했으나 신의 계명을 거스르며 낙원으로부터 쫓겨나고 말았다. 원죄의 발생과 함께 인간은 영원한 생명을 잃어버리고 죽음을 맞이하게 된다. 원죄와 구원사이의 갈등과 극복에는 에덴동산의 생명나무가 중심을 이룬다. 생명나무는 인간의 불순종으로 죽음을 선사하는 나무가 되어 시들고 말았지만, 예수는 죽음으로 순종하여 십자가는 생명을 주는 나무로 잎을 피우게 되었다.

본 글에서 살펴본 것처럼 생명나무는 구원의 역사를 이루는 행로의 곳곳에서 다양한 주제들과 결합되어 풍성한 이미지와 상징을 만들어냈다. 나무의 수와 종류에 대해서는 상이한 해석만큼 다양한 묘사가 있었다. 에덴동산의 묘사에 있어서 추상적인 나무의 형태는 낙원회복에 대한 열망을 반영하는 한편 무화과나무와 같은 특정한 나무를 이용하여 아담과 하와의 벗은 몸을 가리는 역할을 삼기도 했다. 하지만 동산의 생명나무는 죄의 잉태의 원인이 되기에 죄의 극복으로서 십자가와 결부되어 묘사되는 예가 많았다. 이는 직접적으로 예수가 달리는 십자가 나무로 묘사되기도 하지만 주로

---

41) 마가복음 8장 35절, "누구든지 자기 목숨을 구원하고자 하면 잃을 것이요 누구든지 나와 복음을 위하여 자기 목숨을 잃으면 구원하리라"

는 시든 나무와 무성한 나무의 대조에서와 같이 죄와 구원, 죽음과 삶의 관계로 은유
되어 나타난다.

주제어(Keyword): 생명나무(Tree of Life), 선악과나무(Tree of Knowledge), 죄(Sin), 구
원(Salvation), 십자가나무(Baumkreuz), 시든 나무(withered Tree), 무
성한 나무(green Tree)

참고문헌

Bauerreis, Romuald, Arbor vitae: Der "Lebensbaum" und seine Verwendung in Liturgie, Kunst und Brauchtum des Abendlandes, München 1938.

Busch, Werner, Lucas van Leydens "Groβe Hagar" und die augustinische Typologieauffassung der Vorreformation, in: Zeitschrift für Kunstgeschichte 45(1982), pp. 97-129.

Butzmann, Aloys, Christliche Ikonographie. Zum Verstehen mittelalterlicher Kunst, Paderborn; Bonifatius 2001.

Dercks, Ute, Two Trees in Paradise? A Case on the Iconography of the Tree of Knowledge and the Tree of Life in Italian Romanesque Sculpture, in: Pippa Salonius and Andrea Worm(eds.), The Tree: Symbol, Allegory, and Mnemonic Device in Medieval Art and Thought, Turnhout: Brepols 2014, pp. 143-158.

Eichberg, Barbara Bruderer, Die Erneuerung des Lateranbaptisteriums durch Sixtus III. (432-440) als Sinnbild päpstlicher Tauftheologie und Taufpolitik. Die Apsismosaiken des Vestibüuls und das Taufgedicht Sixtus' in: Marburger Jahrbuch für Kunstwissenschaft 30(2003), pp. 7-34.

Gerhart B. Ladner, Vegetation Symbolism and the Concept of Renaissance, in: De Artibus opuscula XL. Essays in Honor of Erwin Panofsky, Vol.1, New York 1961, pp. 302-322.

Krispenz, Jutta, Wie viele Bäume braucht das Paradies? Erwägungen zu den Gen II 4B-III24, in: Vetus Testamentum 54(2004), pp. 301-318.

Reallexikon zur Deutschen Kunstgeschichte(RDK Labor: http://www.rdklabor.de/)

Ritchey, Sara, Spiritual Arborescence: Trees in the Medieval Christian Imagination, in: Spiritus, Vol.8(2008), pp. 64-82.

Salonius, Pippa, Arbor Jesse-Ligum vitae: The Tree of Jesse, the Tree of Life, and the Mendicants in late Medieval Orvieto, in: Pippa Salonius and Andrea Worm(eds.), The Tree: Symbol, Allegory, and Mnemonic Device

조여서 구원으로 기독교 미술에 나타난 생명나무

in Medieval Art and Thought, Turnhout: Brepols 2014, pp. 213-241.

Von Erffa, Hans Martin, Ikonologie der Genesis: Die christlichen Bildthemen aus dem Alten Testament und ihre Quellen, Berlin: Deutscher Kunstverlag, 1989

Warner, Marina, Signs of the fifth element, in: The Tree of Life. New Images of an Ancient Symbol, Exh. Cat. London: The South bank Board 1989, pp. 6-47.

Werner, Busch, 'Lucas van Leydens "Grosse Hagar" und die augustinische Typologieauffassung der Vorreformation', in: Zeitschriftfür Kunstgeschichte45 (1982), pp. 97-129.

Vom Sündenfall zur Erlösung: das Lebensbaum in der chritstlichen Kunst

Jeon Hanho(Kyung Cyber University)

Nach Genesis des Alten Testaments lieβ Gott in Eden "allerei Bäume wachsen, verlockend anzusehen und mit köstlichen Früchten". Er verbot den Menschen aber, von den Früchten des Baums der Erkenntnis und des Lebens in der Mitte des Gartens zu essen. In der christlichen Kunst gilt ′dieser verbotene Genuβ′ aus der biblischen Schöpfungsgeschichte als der Grund für die Sünde, weil Adam und Eva ungehorsam das göttliche Gebot übertreten.

Dieser Artikel behandelt das Lebensbaum nicht als das Thema des Sündenfalls, sondern als das Symbol der Erlösung in der christlichen Kunst. Die Überwindung der Distanz zwischen Erbsünde und Erlösung ist das Hauptziel des christlichen Glaubens. In diesem Zusammenhang versucht die Kunst vom Mittelalter bis zur Renaissance mit Hilfe der bildlichen Materials den Weg zur Erlösung zu zeigen. Als Folge des Falls des Menschen vom paradiesischen Zustand verlor man das ewige Leben, das einem Jesus durch seinen gehorsamen Tod auf dem Keuz wiederschenkt. Das Kreuz wird in diesem direkten Zusammenhang mit den Bäumen des Paradieses gesetzt, welche in zwei unterschiedlichen Punkten beleuchtet werden: einerseits dürr mit der hintergründigen Vertreibungsszne, andererseits grün mit der Passions- und Auferstehungszene.

Die Forschung weist zuerst auf die Beziehung vom Baum der Erkenntnis und Baum des Lebens hin, wie auf dem Baum in Eden der Totenschädel und das Kreuz zusammenkommen. Auβer der Bibel überliefern viele Mythen aus alter Kulturen der Welten- bzw. Lebensbaum. Die christliche Kunst stellt aber den heiligen Baum in Bezug auf das Kreuz, ein heilbringendes Symbol, dar. Z.B. während ein verdorrter, blattloser Baum auf das Baum der Erkenntis hindeutet, steht ein grünender, blühender Baum als lignum vitae für die Auerstehung Christi bzw. Gottes Erlösung, wobei die Überwindung der Sünde durch das Reis Christi wieder blühenden alten kahlen Baumes verbildlicht wird. Immerhin fungiert der Lebensbaum ohne Kreuzlegendenzusammenhang als Symbol für die Heilsgeschichte, nämlich der 〈Jessebaum〉 für das Tympanumrelief oder 〈Maria im Rosengarten〉, die den Gottessohn gebärt. In der christlichen Kunst des Mittelalters und der Renaissance zeigt sich also das Motiv des Lebensbaums als Symbol für den Weg vom Sündenfall zur Erlösung, indem er mit verschiedelichen Themen verflochten wird.

프란치제나 가도의 미로 도상과 종교적 삶

최병진(서울여자대학교)

I. 서론

미로 문양은 유럽, 인도, 중국, 페루 등 세계의 여러 장소에서 발견할 수 있고, 세계관이나 종교관을 담고 있다는 점에서 여러 종교들의 문화적 관점을 비교할 수 있는 흥미로운 테마를 구성한다. 하지만 본 연구는 이 같은 문화사적으로 보편적인 의미를 검토하는 대신 중세 유럽의 순례 문화 속에서 발전했던 미로 도상의 도상학적 의미를 분석하고자 한다.

미로 문양이 교회에서 자주 등장했던 시기는 유럽, 특히 이탈리아에서 교회가 삶의 중심지로 종교적 역할 뿐만 아니라 사회적, 교육적, 문화적 중심지로 발전했고 순례 문화가 발전했던 12-13세기경이었다. 이 시기에 그리스도교는 카톨릭(catholic)이라는 단어의 의미처럼 유럽 내 보편적인 정체성을 부여했으며, 로마와 예루살렘을 향했던 순례 도로는 종교적 신앙뿐만 아니라 유럽 내부의 서로 다른 사유와 문화를 공유할 수 있는 소통의 공간이었다. 이 과정에서 등장한 미로도상은 순례 도로의 거점에 건립되었던 여러 교회에서 관찰할 수 있고, 점차 그리스도를 통한 구원과 생명의 의미를 지니게 되었다.

특히 중세 순례의 여정을 구성했던 여러 도로 중에서 프란치제나 가도(Via Francigena)는 '소금의 길'(Via di Sale)이나 '도적의 길'(Via dei Briganti)라고 불릴 정도로 경제적 관점에서도 중요하지만 로마네스크 시대부터 고딕 시기까지 지속적으로 여러 교회가 건립되었다. 이중 미로 도상은 1) 파비아의 산 미켈레 교회(Chiesa di San Michele di Pavia), 2) 피아첸자의 산 사비노 교회(Chiesa di San Savino), 3) 산 카프라시오 디 아울라 교회(Chiesa di San Caprasio di Aula), 4) 루카 대성당(Duomo di Lucca), 5) 로마 근교의 알라트리의 성 프란체스코 수도원(ex-convento di San Francesco di Alatri)와 같은 다섯 개의 교회에서 역사적 기록의 형태나 고고학적 가치를 지닌 미술품으로 남아있다.

따라서 본 연구에서는 이탈리아 내의 프란치제나 가도에 있는 교회들을 중심으로 미로 도상의 문화적, 역사적 기원과 맥락을 검토하고, 각각의 작품의 도상학적인 의미를 분석한 후 미로 도상이 로마네스크 시대부터 고딕 시대까지 신앙인의 삶의 여정으로서 새로운 의미를 획득하는 과정을 탐색할 것이다.

II. 본론
II.1. 유럽 미로 도상의 역사적 기원과 문화적 맥락

미로(labýrinthos)의 어원은 그리스어($\lambda\alpha\beta\acute{\upsilon}\rho\iota\nu\theta\circ\varsigma$)에서 유래하며 "직선적이지 않으며, 고통스럽고 힘들지만, 연속적으로 돌고 도는, 어려운 선택을 반복하는 긴 여정이자 시험의 공간"이라는 의미를 지니고 있었다.[1] 어원에서처럼 미로의 이미지는 그리스의 미노스 문명에서 신화와 고고학적인 유물로 등장했다. 영국 고고학자 어서 에반스(Sir Authur Evans)는 미로라는 단어가 크레타 왕국의 상징이던 양날도끼(bipenne)의 '나누다.'라는 의미와 에게 문명에서 '라부르(labur-)'라는 접두사가 '광물'을 의미한다

---

1) 　Giorgio Massola, Fabrizio Vanni, *Il labrinto di Pontremoli*. Firenze: Gli Arcipressi, 2002.

는 점에서 광산의 복잡한 길들이 미로의 어원학적 의미를 구성한다고 추정했다.[2] 그러나 미로가 사료로서 문화적인 의미를 확장하고 있다는 점은 기원전 1세기 경 24개로 구분된 이야기 속에서 신과 신을 설명하는 사물들, 종교적인 이야기를 기술했던 아폴로도로스(Απολλόδωρος)의 『신화집 Περὶ Θεῶν』을 통해서 확인할 수 있으며, 아테네의 영웅 테세우스의 이야기 부분에 등장한다.[3] 이야기에 따르면 천재 고안가였던 다이달로스가 반인 반수이자 비이성적이고 두려움의 대상이던 미노타우로스가 세상을 휘젓는 것을 막기 위해서 미로를 제작했다는 이야기와 아테네의 영웅 테세우스가 이곳에 들어가 미노타우로스를 살해하고 아리아드네의 실타래의 도움을 받아 미로를 탈출했다고 설명했다. 이런 신화는 다시 고고학적 발굴 작업의 결과를 통해 확인할 수 있다. 크레타 섬의 크노스 궁전은 복잡한 통로를 지닌 유기적인 공간들을 지니고 있었고, 이곳에 남아있는 벽화는 당시 황소를 숭배했다는 점과 두려움과 용기에 대한 시험으로 〈황소 뛰어넘기〉[도판1]와 같은 종교적-정치적 제전이 진행되었다는 점을 알려준다.[4]

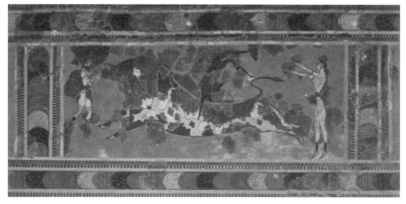

[도판1] 〈황소 뛰어넘기〉, 크노소스 궁전, 크레타, 1380 - 1100 B.C.

2)   Carlo Battisti, Giovanni Alessio, *Dizionario etimologico italiano*, Firenze, Barbera, 1957.
3)   Apollodorus. *Biblioteca. Apollodoro: introduzione, traduzione e note di Marina Cavalli*. Milano: A. Mondadori. 2006.
4)   Rodney Castleden. *The Knossos Labyrinth: A New View of the 'Palace of Minos' at Knossos*. London; New York: Routledge. 1990.

이런 점은 그리스 신화가 단순히 세계에 대한 해석이나 종교적 의미에 한정되지 않았다는 점을 알려준다. 즉, 아폴로도로스는 신화의 형식을 빌려 아테네와 크레타를 둘러싼 역사적 사건에 대한 기억을 전승하고 있다.

그러나 신화와 현실의 관계보다 더 흥미로운 점은 이 이야기에 대한 문화적 수용의 과정들이다. 오랫동안 크노스 궁전이 모습을 드러내지 않았던 만큼이나 신화가 구성된 문화적 맥락으로서의 현실과 의미는 과거의 기억으로 희석되었지만, 신화에 담긴 보편적인 원형(archetype)은 시대적 변화를 따라 새로운 문화적 의미를 구성하기 시작했다.

미로 도상의 연구에 있어서 중요한 선행연구들을 시도했던 도상학자 파브리치오 반니(Fabrizio Vanni)는 크노스 섬을 배경으로 등장한 미로 신화의 원형의 구조를 두 가지로 분석했다. 첫째, 미로를 완성하는 다이달로스는 미로를 완성하면 빠져나갈 수 없다. 그가 빠져나가면 미로를 완성한 것이 아니라. 따라서 다이달로스가 미로를 완성하는 데 성공한다면, 다른 방식으로 빠져나가야 하며 그래서 하늘을 날 수 있는 날개를 고안해서 미로를 탈출할 수밖에 없다. 이 경우 다이달로스와 미노타우로스는 각각 이성과 비이성이지만 고난과 역경으로서 미로를 탈출하기 위해서는 이를 모두 극복할 수 있는 권능을 요구한다. 둘째, 테세우스의 경우 미로를 겪지만 아리아드네의 도움으로 다시 미로에서 벗어난다. 즉, 사랑의 힘으로 고난과 역경을 극복할 수 있다는 것이다. 이 같은 점을 고려해보았을 때, 고대 세계의 문화적 맥락 속에서 미로 도상은 신, 이성, 광기, 사랑의 개념이 결합된 삶의 여정이라는 상징적인 의미를 가지게 되었다.

그리스도교의 종교에 대한 자유를 인정받고 서로마 제국이 몰락하고 이민족의 대이동이 진행되면서 고대 이미지의 상징적 의미는 그리스도교의 세계관 속에 편입되었다. 또 다른 도상학자였던 델라 베니에라(Risveglio della Veniera)는 미로의 신화적 원형이 그리스도의 사랑을 통한 영혼의 구원이라는 의미로 재전유(re-appropriation) 과정을 거쳤다고 주장했다.[5]

---

5) M. L. Risveglio della Veniera, "La Paura del Minotauro e I simboli del labrinto," In *Alcuni aspetti dell'immaginario del pellegrino medievale*. Aragona R. (ed.by). Napoli, 2000.

그리스 로마 문화에서 초기 그리스도교 문화에서 이행하는 과정에서 미로 도상의 의미가 전유되는 과정을 확인할 수 있는 이미지 중 하나는 '솔로몬의 매듭'(Nodi di Salomone)이다. 이 도상은 북유럽에서 더 많이 발견되지만 이탈리아의 카스텔라네타(Castellaneta)의 사례[도판2]처럼 넓은 지역에서 확인할 수 있다.

[도판2] 〈솔로몬의 매듭〉, 카스텔라네타.

'솔로몬의 매듭'은 종종 두 개로 구성된 띠나 분리된 두 개의 선에 의해서 구성되어 있거나, 뫼비우스의 띠처럼 입구나 출구 없이 구성되어 있기 때문에 문장학(Heraldry)에서는 영원한 회귀 혹은 인간과 신의 영원한 결합이라는 의미를 담고 있다. 북유럽의 경우 이 같은 문양은 원래 중요한 장소를 표기하는 데 사용되기도 했으

[도판3] 2013년 '빛의 전례'의 한 장면, 샤르트르 대성당.

며, 이후 그리스도교의 문화가 발전하는 과정에서 솔로몬의 매듭으로 세계를 이해하는 상징성을 바탕으로 종교적 의미를 띠게 되었다.6) 솔로몬의 매듭은 미로 도상과 형태적 유사성을 가지고 있지만, 동시에 언어학적 관점에서도 유사성을 보여준다. 예를 들어 샤르트르 대성당의 회중석 중앙 부분에 배치된 미로의 도상은 〈솔로몬의 미로〉[도판3]라고 불리고 있다. 그러나 이 경우는 솔로몬의 매듭처럼 수직 벽면을 장식하는 것이 아니라는 점에서 세계에 대한 종교적 명상의 대상으로 한정되지 않고 새로운 기능을 확장하고 있다. 지금도 샤르트르 대성당에서 이런 점을 확인할 수 있다. 이

---

6)   *Vocabolario araldico ufficiale*. Antonio Manno (ed.by). Roma: Civelli, 1907.

곳에서는 종종 신자들이 미로 도상의 통로를 따라 기도하거나 '빛의 전례'라고 알려진 종교적인 제의가 열리기도 한다. 즉, 이 경우는 이미지의 의미를 시각적으로만 명상하는 것이 아니라 체험의 공간으로서 종교적 제의 공간을 구성하고 있다.

크레타 섬에서 전승된 이성, 비이성, 신성의 의미는 신과 인간의 관계, 그리고 장소성의 개념과 결합된 세계에 대한 표상으로 발전했다. 솔로몬의 매듭이 지니는 문장학과 이미지가 배치된 위치는 세계에 대한 종교적 명상의 의미로 확장되었고, 이런 점은 다시 미로 도상과 결합되어 삶의 여정 속에서 신앙의 의미를 체험하는 영성 공간으로 발전하고 있는 것이다.

고대 그리스-로마 신화의 미로 도상은 '솔로몬의 매듭'에서 '솔로몬의 미로' 도상의 형태로 발전하고 있으며, 미로의 상징은 신화의 맥락을 잃어버렸지만 신화적 원형을 바탕으로 중세 종교적 상징과 알레고리로 명상적 기능과 영성의 체험 공간이라는 기능을 지니게 되었다. 이 과정에서 명상과 영성 공간의 대상이 된 미로 도상의 의미를 확인하기 위해서 프랑스와 로마를 연결해주었던 프란치제나 가도의 교회들에 등장했던 미로 도상을 비교 분석할 필요가 있다.

II.2. 고대 미로 도상의 차용과 의미의 확장: 알라트리의 전(前) 산 프란체스코 수도원

서론에서 언급했던 것처럼 프란치제나 가도에 위치한 교회 중 미로 도상은 파비아의 산 미켈레 교회, 피아첸차의 산 사비노 교회, 산 카프라시오 디 아울라 교회, 루카 대성당, 로마 근교의 알라트리 전 산 프란체스코 수도원(ex convento di San Francesco, Alatri)에 고고학적 유물로서 이미지와 역사적 기록들이 남아있다. 순례의 여정을 구성한 도로는 문화적 통로의 역할을 담당했고, 프란치제나 가도는 로마네 가도(Via Romane)라고 부르기도 하는 것처럼 프랑스와 로마를 연결해준다. 이 과정에서 샤르트르 대성당처럼 미로 도상을 확인할 수 있지만 도로의 반대쪽, 즉 순례의 여정의 목적지였던 로마의 경우도 미로 도상을 확인할 수 있다.

알라트리의 산 프란체스코 수도원에 남아있는 미로 도상[도판4]은 1997년 키에티 대학(Universita di Chiesti)에서 담당하고 기획했던 복원 과정에서 우연히 발견되었다.

그러나 도상에 대한 사료가 부족하기 때문에 문헌학적으로 연대를 확인할 수 없다.7) 알라트리의 도상을 연구한 잔프랑코 만키아(Gianfranco Manchia)는 연대를 확인하기 위해서 이 도상이 남아있는 벽의 방사선 연대 측정법을 적용했고, 이 작품의 제작 시기를 1300년부터 1420년까지로 볼 수 있다고 분석했다.8) 이런 연대를 기준으로 만키아는 이 시기가 십자군 원정이 진행되어 있었고, 알라트리

[도판4] 성 프란체스코 수도원, 알라트리, 13세기 경

에 십자군 원정과 연관해서 도시의 성곽이 건축되었던 시점이라는 점을 들어 십자군 원정 당시의 종교적 관점을 드러낸다고 설명했다.

역사적 사료의 부재에도 이 도상이 중요한 점은 크게 두 가지이다. 첫 번째는 만키아가 관찰했던 것처럼 프란치제나 가도의 양쪽에 위치한 샤르트르 대성당의 미로 도상과 알라트리 도상의 유사성이다. 이런 점은 순례의 여정이 미로 도상의 문화적 공유에 기여했다는 점을 보여주는 실례이다.

그러나 샤르트르와 알라트리의 도상을 비교해본다면 도상의 기능이 다르다는 점을 확인할 수 있다. 샤르트르의 도상은 12m의 크기를 지닌 영성적 체험 공간이었지만, 알라트리의 도상은 2m의 작은 크기를 지니고 있다는 점에서 감상의 대상이 된다.

그러나 이보다 이 도상이 지닌 중요한 가치는 프란치제나 가도에 위치한 교회 중 유일하게 미로의 중심에 그리스도가 묘사되어 있기 때문이다. 중심에 배치된 그리스도의 도상은 제스처를 볼 때 '축복의 그리스도' 혹은 '영광의 그리스도'의 도상으로 보이며, 한 손에는 '생명의 서'를 들고 있는 것처럼 보인다. 이런 점은 그리스 로마의 미로 도상이 전유되는 과정을 드러낸다는 점에서 흥미롭다.

7)   Giancarlo Pavat, Il Cristo nel Labirinto. Il mistero dell'affresco, Città di Alatri, Nuova Stampa, Frosinone 2009.
8)   Gianfranco Manchia, *Cristo nel labirinto. La scoperta dell'idolo dei Templari.* Roma: Palombi Editore, 2011.

[도판 5-7] 만키아의 재구성: 샤르트르의 미로, 성프란체스코 수도원의 미로, 두 미로를 겹친 이미지

크레타 섬의 신화에서 미로는 그 누구도 빠져나올 수 없는 역경을 제공해야 하는 장소였다. 따라서 중심부에 있는 미노타우로스는 탈출이 불가능하고, 테세우스는 들어갈 수 있지만 그 스스로는 빠져 나올 수 없어야 한다. 그러나 샤르트르와 알라트리의 미로는 역설적으로 미로가 아니다. 이 도상은 미로를 읽어가거나 미로의 통로를 따라가는 신자들에게 서로 다른 선택의 기회를 제공해주지 않는다. 분기점이 없기 때문이다. 언뜻 보기에 중세의 미로 도상은 복잡해보이지만 출발점과 종착지가 일방적으로 연결된다. 따라서 미로의 종착지에 그리스도의 도상이 배치되어 있다면, 그리스도에게 다가가는 삶은 선택의 문제가 아니라는 점을 드러낸다.

알라트리의 미로 도상은 고대 그리스-로마의 삶의 역경이라는 알레고리를 넘어서 삶의 목적으로서 그리스도를 제시하며, 그리스도의 구원을 통해 새로운 삶을 얻는 인간의 보편적인 운명을 담고 있다. 고대 미로 도상이 지닌 삶의 역경이라는 상징은 솔로몬의 매듭에서나 미로 도상에서 신과 인간의 관계를 구성된 삶의 여정의 상징으로 대체되고 있는 것이다.

II.3. 프란치제나 가도의 미로 도상: 시각적 감상과 종교적 명상

프란치제나 가도의 미로 도상은 일방통로를 구성한다는 점에서 형태적 유사성을 지니지만, 미로 도상의 의미를 확장하는 과정에서 유사성과 차이점을 구성하는 다른 도상학적 세부 요소를 동반한다. 따라서 이를 검토하면 중세 미로 도상의 문화적 의미를 확장할 수 있다.

특히 미로 도상이 배치된 공간은 도상의 사회적 기능을 설명해준다. 크게 미로 도상은 바닥과 벽면에 배치되어 있다. 그러나 프란치제나 가도의 미로 도상은 샤르트르 대성당의 경우처럼 회중석 사이에 배치되어 신자들에게 영성의 체험 공간으로 활용되는 경우가 많지 않다. 프란치제나 가도의 미로 도상은 교회의 입구, 기도실 벽면, 제단 앞부분의 바닥 장식 등 문화적 기호의 시각적 재현 자체를 목적으로 하는 경우가 대부분이다.

샤르트르 대성당의 영성적 체험 공간에 대한 선행 연구들을 고려해본다면 샤르트르의 영성적 체험 공간이 구성된 이유는 샤르트르 대성당의 입지와 순례에 대한 당대의 문화적 관점과 연관되어 있다. 당시 순례의 여정은 북유럽, 스페인, 프랑스에서 로마로, 그리고 이후 예루살렘으로 이어진다. 이런 점을 고려한다면 샤르트르 대성당은 순례의 초입부에 위치했다. 순례에 참여하는 사람들은 수도사처럼 신앙의 여정에 삶의 바치는 경우가 아닌 평신도들이 많이 참여했지만, 이들에게 순례는 그 자체로 특별한 사건을 구성한다. 신앙에 대한 특별한 계기와 경제적 여건을 고려할 때 순례가 가능하며, 누구나 순례를 쉽게 떠날 수 없었다면 여정 중 얻을 수 있는 역경 속에서 확인할 수 있는 신앙의 의미를 탐색할 수 있는 경험의 장소가 필요하다고 볼 수 있다. 따라서 샤르트르 대성당의 영성적 체험 공간은 순례를 떠나지 못했던 순례자들에게 삶과 신앙의 관계에 대한 순례의 의미를 간접적으로 체험할 수 있는 공간이다.[9]

만약 이 같은 해석이 설득력을 지닌다면, 왜 프란치제나 가도의 교회들의 경우 미로 도상이 영성적 체험 공간이 아니라 시각적 감상의 대상으로 배치되었는지 이해할 수 있다. 순례의 여정 중 만나야 하는 교회들은 순례의 의미를 간접적으로 체험하는 것이 아니라, 쉬어가면서 순례의 여정에서 생각했던 점들을 종교적인 명상을 통해 확장해야 하기 때문이다.

프란치제나 가도에 건립된 교회 중에서 미로 도상이 남아있는 교회는 대부분 순례의 여정에서 지정학적 중요성을 지니고 있다. 예를 들어 프란치제나 도로에서 폰트레몰리는 이탈리아 북부의 파다노 평원과 리구리아 지방, 그리고 프랑스와 이탈리아의 토스카나 지방을 연결하는 중요한 거점이었다. 또한 주변에 위치한 루니(Luni) 항구는 산티아고 데 콤포스텔라의 순례로와 연결되는 항로라는 점에서 중요한 의미를 지니

---

9) Gobillot, R. and J. Lemarie. "Le Labyrinthe de la Cathedrale," In *Notre Dame de Chartres* (1972: June).

고 있다.

[도판8] 폰트레몰리의 미로 도상

2차 세계 대전으로 파손되었다가 다시 재건된 폰트레몰리의 산 피에트로 교회에는 83x60cm의 크기를 지닌 미로 도상 부조[도판8]가 남아있다. 패널의 형태를 구성한다는 점에서 그리고 부조의 표면이 마모되지 않았다는 점을 미루어볼 때 이 미로 도상은 벽면에 배치되어 있었다고 볼 수 있다.

프란치제나 가도의 교회들이 건립되었던 로마네스크-고딕 시기의 교회 내부는 장소의 기능에 따라 종교적 도상들이 효율적으로 배치되었다는 점을 고려한다면, 미로 도상이 배치될 수 있는 장소는 명상적 기도의 공간이나 파사드, 포르티코와 같이 전례와 결합되지 않지만 명상이 가능한 장소에 걸려있을 것이라고 추정할 수 있다.

이 부조 역시 순례의 도로에서 발견할 수 있는 다른 교회의 미로 도상처럼 한방향의 선택이 배제된 미로의 구조를 지니고 있으며, 중앙에는 IHS, 즉 그리스도의 이름에 대한 모노그램(ΙΗΣΟΥΣ)이 배치되어 있다. 그러나 이 모노그램에 대한 금석학적 분석은 교회의 제작 연대와 결합되어 있는 미로 도상과 다른 시대에 기입되었다는 점을 알려준다. 따라서 이 명문은 부조의 제작 이후에 덧붙여졌던 것이다. 그러나 그렇다고 하더라도 앞서 살펴본 알라트리의 경우처럼 미로의 도상은 구원을 향해서 나아가는 길이라는 의미를 충분히 상기시켜 준다.

폰트레몰리 도상의 윗부분에는 말을 탄 두 기사가 묘사되어 있다. 오른편의 경우 뒤편에 동물에 배치된 날개를 볼 때 용을 탄 기사의 모습처럼 보이며, 두 기사의 싸움은 마치 삶의 여정을 의미하는 미로에서 만날 수 있는 선과 악의 투쟁과 같은 알레고리를 보충한다고 볼 수 있다. 따라서 미로의 일방적 구조를 고려해볼 때 구원에 이르는 과정에서 겪을 수 있는 인간 내면의 갈등을 형상화한 것으로 해석할 수 있다.

남아있는 도상의 양쪽 경계에도 이미지가 장식되어 있지만, 보존 상태로 인해 오른쪽 이미지는 확인되지 않는다. 그러나 왼쪽 이미지는 형태를 고려해보았을 때 '우로보로스(ουροβόρος)'의 도상, 즉 스스로 꼬리를 먹으며 앞으로 나아가는 뱀의 도상이 배치되어 있다. 이 도상은 그리스도교의 종교적 도상에서 벗어나 있기 때문에 중세 신비주의적 명상과 결합되어 있다고 평가를 받으며, 우로보로스 도상 자체가 영원회귀를 의미한다는 점에서 현실의 보편성에 대한 구조적 각주로 해석할 수 있다. 우로보로스 도상은 분명히 그리스-로마의 신화적 전통에 바탕을 두고 있기는 하지만, 마르티아누스 카펠라(Martianus Capella)의 『필롤로기아와 머큐리의 혼인De nuptiis Philologiae et Mercurii』이나 세비야의 이시도루스 주교의 『어원학Etimologiae』에서 설명한다는 점에서 지속적인 사유의 대상이 되었고, 이런 이유로 미로 도상과 결합되어 있다고 볼 수 있다.[10]

한편 도상의 아래 부분에는 고린토 전서 9장 24절의 내용이 기술되어 있다. "여기에는 나를 적대하는 사람들이 많기는 하지만 내가 큰일을 할 수 있는 문이 활짝 열려 있습니다."[11] 하지만 이 경우, 금석학과 서체에 대한 역사적 맥락을 검토해본다면, 중앙에 배치된 그리스도의 모노그램과 마찬가지로 후대에 새겨진 것으로 보인다.

폰트레몰리의 미로 도상에 포함된 우로보로스 도상은 영원회귀의 반복 속에서 세계의 구조를 설명하고 있다는 점에서 세계관의 문제와 결합되어 있다. 또한 세계의 구조가 과정의 개별적인 의미가 아닌 주어진 조건의 문제를 구성한다고 볼 수 있기 때문에 이런 점은 그리스도의 영원한 삶을 환기시킨다. 이런 점은 폰트레몰리에서 멀지 않은 피사의 캄포 산토의 포르티코에 배치된 세계의 이미지를 통해서도 확인할 수 있다.

캄포 산토의 도상은 교회의 포르티코에 배치되어 있으며 세계의 구조를 드러낸다는 점에서 폰트레몰리의 우로보로스 도상과 연관되어 있다. 그러나 폰트레몰리의 미로 도상은 우로보로스를 통해서 세계의 시간성과 구조를 다루지만, 캄포 산토의 도상에서는 그리스도가 세계를 둘러싸고 있는 존재로 묘사되어 있고 내부에 천체의 움직

---

10) Martiani Capellae *De nuptiis Philologiae et Mercurii*, Liber I, 70. Isidoro, *Etimologiae* V, XXXVI, 1-2.
11) Co. 9:24.

[도판9] 피사, 캄포 산토

임을 통해 당대 세계에 대한 표상을 드러낸다. 이런 점은 고대 우로보로스의 개념이 영원회귀의 개념으로, 그리고 세계에 실재하고 세계를 움직이는 그리스도에 대한 보편성을 담은 표상으로 발전하고 있다는 사실을 알려준다. 세계에 실재하고, 영원히 회귀하는 영속성은 그리스도의 표상이 되고 그리스도 안에서 다시 인간은 현실의 미로 위에 놓이게 되는 것이다. 알라트리의 경우 미로는 그리스도를 만날 수 있는 보편적 조건이 되지만, 그리스도가 외부에 배치되는 경우 내부의 세계에 대한 표상은 인간 스스로 마주쳐야 하는 현실의 의미를 지니게 된다. 따라서 폰트레몰리의 미로 도상은 일방적인 통로로 인해서 놓칠 수 있는 의미를 우로보로스 도상을 통해서 강조하고 있다고 볼 수 있다. 훨씬 후대의 경우이기는 하지만 1632년 예수회 수도사 헤르만 휴고(Herman Hugo)의 『경건한 요망 사항 Pia desideria』은 미로 도상의 의미를 설명하면서 미로가 보호 받는 벽이 아니며, 인간이 내부이기는 하지만 위에서 움직여야 하는 장소성을 지니기 때문에 현실의 은유라고 강조한 점은 우로보로스 도상이 결합되어 있는 이유를 다시 확인해준다.[12]

이런 점은 미로의 종착지로서 그리스도의 구원이라는 점은 보편성을 지니고 있지만, 그렇다고 해서 세계에 대한 은유가 평탄하지 않음을, 그리고 신이 창조한 세계 내부에서의 경험을 다시 상기시켜준다.

순례의 문화 속에서 성장했던 또 다른 지정학적 거점이었던 루카의 산 마르티니

---

12)   Herman Hugo, 웹에디션: http://emblems.let.uu.nl/hu1624.html

대성당의 경우 포르티코의 벽면에 미로 도상이 배치되어 있다.

　이 미로 도상의 특수한 점은 13세기에 제작되었지만 고대 신화의 내용이 왼쪽에 라틴어로 직접 제공된다는 점이다. "이 미로는 크레타 섬의 다이달로스가 제작했으며 아리안나의 실의 도움을 받았던 테세우스를 제외하고는 아무도 벗어나지 못했다."(Hic quem creticus edit Dedalus est laberinthus de quo nullus vadere quivit qui fuit intus ni Theseus gratis Ariadne stamine vintus.) 따라서 이 도상은 그리스도교의 세계관과 고대 그리스-로마 시대의 세계관이 밀접하게 연관되어 있다는 사실을 직접적으로 알려준다. 앞서 언급했던 것처럼 건물에 수직적 배치는 문화적 기호로서의 의미를 전달하기 위한 것이다. 그러나 파사드의 비대칭적인 구조, 그리고 왼편 구석에 배치된 이 이미지는 교회의 외부와 내부 공간을 구성하는 신자들의 주 동선에서 벗어나있다. 따라서 미로는 공간을 탐사하는 경우만 발견될 수 있다. 이는 미로의 의미 자체를 강조하게 된다. 즉, 미로 도상의 배치는 문화적 기호로 메시지를 전달하지만, 미로의 입구를 찾는 것처럼 체험을 통해서 발견해야 하는 것이며, 이 같은 체험은 미로 도상의 문화적 의미를 강화시키고 있다.

　루카의 미로 도상은 따라서 명상을 통한 종교적 기호를 구성하지만 미로의 입구를 찾기 위한 체험을 요구하며 이 체험 자체가 명상의 의미를 강화시키고 삶과 세계관의 관계성을 드러내고 있다. 또한 포르티코에 배치되어 있다면, 포르티코 자체가 교회의 외부와 내부의 경계를 구성하고 있다는 점에서 미로 도상의 의미가 평신도나

[도판10-11] 산마르티니 대성당, 루카, 13세기 경.

순례자들에게 외부의 현실과 종교적 삶의 경계 속에서 의미를 확장하기 위한 효율적인 장소를 점유했다고 판단할 수 있다.

이런 점은 파비아의 산 미켈레 교회의 사례를 통해서도 확인할 수 있다. 파비아의 미로 도상은 산 미켈레 교회의 동쪽 사제석 바닥을 앞부분에 배치되어 있다. 그러나 바닥에 위치해있기는 하지만 사제석이 신자들의 종교적 제의 공간으로 활용된다고 보기는 어렵고, 이 도상의 크기가 크기 않기 때문에 이 경우 역시 시각적 메시지를 전달하는 역할을 담당한다고 볼 수 있다. 그러나 이 미로 도상은 다른 장소의 도상에 비해서 더 복잡한 구조를 지니고 있다.

파비아의 미로 도상은 일부가 남아있기는 하지만 과거 이 도상을 기록한 시각 자료가 남아있다는 점에서 문화적 관점을 확장하는 것이 가능하다. 주변에는 대지, 바다, 하늘, 인간이 묘사되어 있고 이는 중세 우주론이 지니는 인간과 세계에 대한 유기적 구조를 드러낸다. 특히 이 도상에 배치된 인물들을 검토해본다면 윗부분에 배치된 인물들이 당시 점성술과 결합된 천문학적 상징과 결합되어 있다는 점에서 달(月)의 의인화로 해석할 수 있다. 따라서 이 도상은 단순히 세계의 유기적 구조에 대한 설명을 제공하는 것이 아니라 세계의 시간적 흐름에 대한 개념을 함께 표현하고 있고, 미로 도상이 공시적, 통사적인 의미를 모두 포함하고 있다는 점을 보여준다. 또한 역사적 관점에서 본다면 이 장소는 중세 복잡한 정치적 상황 속에서 이탈리아의 왕의 대관식이 열렸던 정치적 공간이며, 따라서 이 이미지는 고전적 의미에서 신학적 의미로 변화된 세계의 도상학적 의미가 정치적 맥락과 결합되어 있다는 점을 고려해야 한

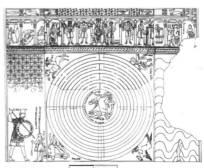

[도판12-13] 파비아, 미로 도상, 12세기 경

다. 따라서 종교적 의미만을 담았다기 보다, 종교와 권력의 관계를 암시한다. 이 도상은 12세기 모자이크의 일부로 흑백의 테세라가 주를 이루지만 붉은 색과 회색 테세라가 섞여있고, 의인화된 달의 이미지를 주두가 있는 기둥으로 분할하고 있다. 또한 상당의 인물의 중앙 부분에는 권좌에 앉은 인물과 더불어 다양한 사회적 활동과 결합된 다섯 달의 의인화된 도상이 배치되어 있다. 이런 점을 확인할 수 있는 이유는 각각의 인물에 각 달을 의미하는 텍스트를 동반하기 때문이다. 이를 통해서 2월의 의인상은 숭어를 잡고 있고, 3원의 의인상은 나팔을 불고 있다. 4월의 의인상은 꽃다발을 들고 있으며, 5월의 의인상은 풀을 베고, 6월의 의인상은 앵두로 보이는 붉은 과일을, 그리고 7월의 의인상은 밀을 수확하고 있는 것으로 묘사하고 있는 점을 확인할 수 있다. 그러나 양편으로 이어져 있는 건축적 구조를 통해서 확인해 보았을 때 양쪽에 다른 달의 의인상들이 배치되어 있다는 점을 가정할 수 있고, 이 이미지는 중안의 한해의 왕으로서 의인화된 도상이 자리 잡고 있다.

이런 점은 베리 백작의 〈성무 일도서〉처럼 중세 성무일도서의 구조와 내용에 있어서 유사성을 지닌다. 따라서 한해를 구성하는 노동의 의미와 계절의 변화가 당시의 사회적 풍경을 드러내고 있다고 보아야 할 것이다.

남아있는 드로잉을 확인하게 되면 미로의 중앙 부분에는 테세우스와 미노타우로스가 함께 묘사되어 있으며 원으로 구성된 미로의 주변에는 전통적으로 천국의 구조를 구성했던 4개의 강이 배치되어 있고, 왼편 하단에 골리앗과 싸우고 있는 목동 다비드의 이야기가 묘사되어 있다. 이 같은 소재의 병치는 이 도상의 문화적 지평을 확장시킨다. 앞서 언급했던 반니의 해석을 다시 검토해본다면 테세우스와 미노타우로스는 이성과 비이성의 투쟁을 의미한다. 그러나 신화에서 테세우스가 승리를 거두기 때문에 이 이야기는 비이성, 즉 인간의 광기를 넘어선 이성의 힘을 보여준다. 또한 다윗과 골리앗의 이야기의 교훈이 민족과 가족을 위해서 두려움을 극복하고 이스라엘 민족을 구원한다는 이야기를 담고 있다면, 이 또한 같은 맥락의 교훈을 만들어낸다고 볼 수 있다. 따라서 성서와 신화는 모두 이성과 용기의 사례를 보여준다고 볼 수 있고, 이는 삶 속에서 인간이 지녀야 하는 중요한 덕목중의 하나라는 점이 강조된다고 해석해볼 수 있다.

마지막으로 피아첸자의 산 사비노 교회의 경우는 12세기경에 건립되었던 교회로

[도판14-15] 피아첸자, 산 사비노 교회의 모자이크(지하납골당)과 세부, 12세기 경.

바로크 시대에 재건되면서 두 개의 교회 건축이 종합되어 있다. 이 중에서 오늘날 지하납골당의 역할을 하는 아래층, 즉 초기 교회 건축의 사례를 구성하는 부분의 도상을 관찰해보면 다양한 중세의 문양들이 배치되어 있다는 점을 확인할 수 있다.

이곳에는 일 년을 상징하는 달의 의인화된 이미지뿐만 아니라 미로와 연관된 신화와 연관된 소재들이 배치되어 있다. 중앙 부분은 비어있지만, 주변에 남아있는 도상들과 파비아의 미로 도상의 소재가 유사하다는 점, 그리고 이 곳에 남아있는 도상들이 중세 문헌 속에서 미로 도상을 설명하는 과정에 등장하고 있다는 점으로 미로 도상과 연관되어 있다고 유추할 수 있다. 그러나 이 도상에서 흥미로운 부분 중 하나는 중세 놀이 문화에 그 기원을 두고 있는 체스를 두는 인물의 도상이 배치되어 있다는 점이다. 체스는 체스말로 구성된 두 기사 집단 간의 상징적인 전쟁이며, 미로 도상과 기사의 이미지가 폰트레몰리의 경우에 표현되어 선악을 상징한다는 점, 그리고 알라트리의 도상이 구성되었을 때 십자군 원정이 진행되고 도시에 대한 성채가 기획되었다는 점들을 고려해본다면 동시대의 삶과 결합되어 있다고 유추할 수 있다.

따라서 프란치제나 가도의 다른 미로 도상들을 고려해 본다면, 그리스-로마 전통의 미로 도상은 점차 그리스도의 구원으로서의 여정과 세계의 보편적인 구조를 드러내고, 이를 기준으로 세속적 삶과 종교적 삶의 경계를 통해 동시대의 다양한 의미를 확장하고 있다.

II.4. 미로 도상과 동시대의 삶

중세 로마네스크 시대부터 고딕 시기까지 등장했던 미로 도상들의 경우 제작자에 대한 정보가 거의 제공되지 않는다. 앞서 다룬 작품들 중에서 피아첸자의 경우만 제작 기법과 소재로 인해서 코스마테스키 가문(Cosmateschi)의 작품이라는 점 정도만 확인할 수 있으며 예술가 집단에 의해서 제작된 것이다. 하지만 이 시기 건축물에 배치된 미로 도상을 포함한 다양한 장식들이 주문자의 문화적 관점을 표현하고, 도상을 구성하기 위한 기획안이 주문자에 의해서 구성되었다는 점을 고려해 본다면, 당시의 문헌들을 통해서도 미로 도상의 의도와 의미를 분석하는 것이 가능할 것이다. 왜냐하면 신학적이고 다양한 의미들을 통해 메시지를 구성하고 있기 때문에 이 같은 도상 기획자는 신학에 대해서 이해해야 하며, 이를 위해서는 라틴어로 된 서적들을 검토할 수 있었다고 볼 수 있기 때문이다. 따라서 당시의 문헌들과 미로 도상과 결합된 다른 도상들의 문제를 비교 검토할 필요가 있다.

미로 도상과 결합되어 있는 다른 도상들은 다음과 같이 구분할 수 있다. 1) 테세우스와 미노타우로스와 같은 미로 도상의 기원과 결합된 그리스-로마의 문화적 전통, 2) 미로의 의미와 결합된 그리스도의 도상과 체스나 기사처럼 당시 십자군의 역사를 반영하지만 미로의 종착지인 그리스도의 구원에 다다르는 과정에서의 현실의 역경을 다루기 위한 선악의 도상, 그리고 3) 우로보로스와 달력의 의인상처럼 시간에 대한 개념을 구성하는 도상이다. 그러나 미로 도상의 기원과 사회적 목적을 보여주는 미로 도상의 의미와 달리 우로보로스와 달력의 의인상과 같은 경우는 미로의 의미와 독립적이지만 동시에 미로의 의미를 확장하기 때문에 당시의 문화적 관점을 이해하는 데 도움이 된다.

앞서 언급한 것처럼 '우로보로스(Ouroboro)'의 도상, 뱀이 자신의 꼬리를 물고 있는 도상과 파비아의 시간의 의인화된 도상은 모두 세계와 시간, 삶과 죽음의 의미를 반영한다는 점에서 유사한 의미를 생산한다. 이 같은 도상에 대해서 중세 마르치아노 카펠라는 이 도상과 토성(Saturno)의 의인화된 도상을 연관시켜서 설명했다. 이후 토성의 의인화된 도상은 점차 세계에 대한 명상을 위한 '우울'(melanconia)라는 개념을 발전하면서 미로 도상과 '명상'의 의미를 결합시키는 이유가 되었다. 또한 우로보로스는 연금술적 사유와 결합해서 근동, 비잔틴, 유럽과 같은 여러 장소에서 우주에 대

[도판16] 익명의 저자의 삽화본에 등장하는
카발라적 우주의 지도(14세기 초),
만토바, Manoscritti ebraici 24, c.63r.

한 상징으로 활용되었다.[13] 이 같은 우로 보로스와 미로 도상의 연관성은 9세기부터 14세기 까지 제작된 마파에 문디(Mappae Mundi)의 도상에서 확인할 수 있다.

이런 점은 이 도상과 미로 도상의 연관성은 9세기부터 14세기까지 제작된 마파에 문디(Mappae Mundi)의 도상에서도 확인할 수 있다. 이 지도들은 유기적인 세계관의 표현으로 테두리에 오우로보로의 도상이 지도를 둘러싸고 있고, 공간에 대한 상상력과 시간성이 결합되어 있는 대표적인 사례들를 구성한다. 이 같은 우로보로스의 도상은 세계의 구조와 지속성에 대한 문제를 다루며, 천문학을 둘러싼 카발라적 사유와 결합하기도 한다. 만토바에 남아있는 익명의 유대인 저자는 우로보로스의 도상을 통해서 성서의 세계에 대한 각주를 달기도 했다.

세비야의 이시도루스는 『어원학』에서 우로보로스의 도상이 뱀의 형태로 꼬리를 먹고 있는 머리의 이미지로 구성된다고 언급했던 점도 영원회귀에 바탕을 둔 세계의 연속성에 대한 의미를 다루고 있다. 그러나 그리스-로마의 우로보로스 도상이 지니고 있는 시간의 순환이라는 관점은 그리스도교의 직선적 시간에 대한 사유와 다르고, 중세의 경우 우로보로스의 도상 자체도 긍정적인 의미보다 부정적인 의미를 지니고 있었다. 예를 들어 필로네 알렉산드리노(Filone Alessandrino)는 선악과의 뱀의 실례를 들면서 인간의 지성과 대비를 이루는 존재이자 인간의 부정적인 욕망을 자극하고, 결과적으로 통제력을 상실하게 만든다고 지적한 바 있다. 이 같은 부정적 관점과 연관해서 더 흥미로운 점은 그럼에도 불구하고 우로보로스의 도상이 우주의 사유 구조와 결합되었고 루카의 미로 도상의 경우처럼 우로보로스의 도상이 다시 미로의 도상과

13)   Gilbert Durand, *Le strutture antropologiche dell'immaginario*, Ettore Catalano(trans. it), Bari: Dedalo edizioni, 2009, pp. 391-394,

[도판17] 히에로니무스 보쉬, 〈쾌락의 정원〉, 마드리드 국립 미술관, 1480-1490.

결합되어 그리스도 교의 명상적 의미로 확장 된다는 점이다.

따라서 부정적인 의미를 지닌 우로보로스의 도상이 어떻게 그리스도 인의 종교적 삶과 결합되었는지 분석해야 할 필요가 있다. 그러나 분명한 점은 15세기 경 우로보로스와 같이 시간의 흐름을 구성하던 고대의 상징에서 유래했던 황도 십이궁은 부정적인 의미로 사용되지 않고 긍정적인 의미를 지니기 시작했다는 점이다. 여러 가지 실례가 있지만 이런 점은 히에로니무스 보쉬(Hieronymus Bosch)의 〈쾌락의 정원〉의 사례에서 확인해볼 수 있다.[14]

중세 그리스도 교의 신학을 효율적으로 요약하고 있다는 평가를 받고 있는 이 작품의 중앙 패널 중간 부분에는 일군의 인물들이 원을 그리며 이동하고 있는 장면이 보이며, 이들이 들고 있는 낯선 이미지들은 황도 십이궁을 구성하는 동물이나 상징이다.

이 같은 변화를 가능하게 만들어 주었던 것은 성무 기도서였다. 성무 기도서는 태양력에 따른 연중 일정과 일과를 구성하고 있으며 이 안에서 그레고리우스 전례력을 기준으로 변화가 이루어진 것이 아니라 넓은 의미에서 태양력을 기준으로 제시된 계절의 변화에 따라 당시의 사회적인 일들을 표현하고 있다.

---

14)　　Hans Belting, *Garden of Earthly Delights*. Monaco: Prestel, 2005.

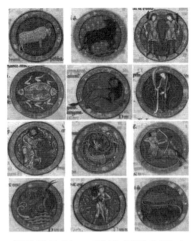

[도판18] 글래스고 대학 도서관의 〈성무 기
도서 The Hunterian Psalter〉의 황도 십이궁,
1170년경.

이 같은 황도 십이궁의 도상은 로마네스크 시대의 필사본들에서도 쉽게 관찰할 수 있다. 특히 황도 십이궁과 우로보로스의 도상의 관계는 해의 길이가 가장 긴 하지와 가장 짧은 동지를 의미하는 염소 자리와 게자리와 결합되어 있는 것으로 보인다. 오늘날 글래스고 대학 도서관에서 소장하고 있는 〈성무 기도서 The Hunterian Psalter〉의 경우, 염소자리는 신화에서 언급하는 물고기의 동체를 가지기 보다는 뱀의 꼬리를 지니고 있는 것처럼 묘사되어 있고, 게자리의 경우에는 야누스처럼 배치된 얼굴로 인해서 양쪽 방향의 경계로서 묘사되어 있다.[15]

이 같은 묘사는 모두 시간의 영속성에 대한 표현들이 황도 십이궁의 표현으로, 그리고 12개월을 의미하는 도상으로 발전하고 있지만 모두 고대의 순환적 세계를 상기한다.

이런 점은 미로 도상을 제작한 익명의 저자들이 그리스도교의 새로운 세계관을 표현하지만, 동시에 그리스-로마 문화의 시간에 대한 관습적 표현을 받아들였다는 점을 알려준다. 따라서 부정적인 의미의 도상은 신화적 의미보다는 시간을 구성하는 관습적 기호로 전환되면서, 종교적인 도상의 일부를 차지하면서 미로의 도상에도 결합되었다고 추정할 수 있다.

13세기 말 종교적 삶과 세계의 구조, 동시대의 삶과 문화를 다룬 단테의 『신곡 Divina Commedia』은 이런 관점이 문화적 보편성을 띠고 이해의 대상으로 변했던 점을 드러낸다. 그는 새로운 세계의 시작(Secol si rinnava.)을 다루는 표현 속에서 태양력의 시작이 그리스도가 변화시킨 세계에 대한 메타포처럼 설명했다.[16] 따라서 이 문제

---

15)   Gibson, Margaret T. *The Eadwine Psalter: Text, Image, and Monastic Culture in Twelfth-Century Canterbury.* State College: Penn State University Press. 1992.

16)   단테, 신곡, 연옥편 22장.

는 고대의 문화를 계승했고 중세 문화에서 남아있던 신화적 원형이 지닌 순환적 시간에 대한 사유가 직선적 시간으로 변하는 그리스도교의 세계관으로 전유되었다는 점을 설명해준다.

II.5. 미로 도상의 배치 장소와 다층적 의미 구조

그리스-로마의 미로 도상이 중세 그리스도교의 종교적 도상을 변하는 과정은 의미의 변화와 이미지의 사회적 기능을 변화시켰다. 따라서 미로 도상의 문화적 컨텍스트도 변화되기 시작했으며, 이런 점은 미로 도상이 배치된 물리적 컨텍스트로서 교회의 의미를 검토할 필요성을 제기한다.

교회에 대한 종교적 도상은 종종 배의 도상을 통해 표현되었다. '노아의 방주'와 같은 도상은 새로운 시대의 의미와 결합되어 있고, 이런 점에서 새로운 시간의 시작이라는 점에서 새로운 세계를 열었던 그리스도의 개입이라는 메타포를 설명하고 있으며, 드문 경우이기는 하지만 북유럽의 경우처럼 배에 대한 이미지가 차용된 스타브 교회(Stave church)의 경우도 등장한다.

이런 점은 교회가 삶의 여정과 구원으로 이끄는 공간이라는 점을 보여주며, 이 같은 교회의 상징적 의미는 내부에 이를 확장하고 해석할 수 있는 다른 문화적 기호를 배치할 수 있는 이유였다. 그리고 미로 도상은 교회의 상징적인 의미와 동일한 의미

[도판19-20] 노르웨이 부르군디의 스타브 교회의 실례와
이탈리아 풀리아 지방의 오트란토 대성당의 모자이크의 일부, 〈노아의 방주〉.

를 중첩하고 여러 도상학적 기호들 간에 일어나는 신자들에 대한 소통의 층위를 구성한다.

그리스도교인의 삶의 여정으로서 교회는 포르티코에 배치된 미로도상을 통해 삶과 세계, 종교적 사유의 대상이자 문화적 기호로 고대 신화의 보편적 이야기 구조에 그리스도의 구원이라는 삶의 목적과 동시대의 현실로 확장되며, 구원과 현실의 경계를 구성한다는 점에서 자기 반성적인 지표로 제시된다. 이 과정에서 교회, 미로, 미로의 도상학적 세부가 전달하는 현실과 세부를 통해서 공유되는 삶의 양식은 대화를 만들어내고, 관계성을 바탕으로 끊임없이 확장된다.

III. 결론

본 논문의 목적은 12-13세기에 이탈리아의 프란치제나 가도에 위치한 교회에서 주로 발견되는 미로의 도상의 의미를 분석하는 것이었다.

교회 자체의 의미는 교회를 소개하는 세속적 삶과 종교적 공간의 경계로서 파사드나 포르티코에 배치된 미로 도상을 강조하거나 교회 내부에서 종교적 명상의 대상을 제시하며, 미로 도상에 함께 배치된 도상학적 디테일들은 우로보로스, 황도 십이궁, 달의 의인화와 같은 도상들을 동반하며 동시대의 성무일도서처럼 신앙을 위한 개인적 용도의 삽화본과의 유사성과 구조를 통해서 고대 문화적 의미를 새로운 종교적 삶에 대한 모델로 변화시켰다. 이 과정에서 순환적 세계관에 바탕을 둔 신화적 원형은 삶의 보편성으로서 그리스도를 통한 구원이라는 의미로 대체되었으며, 동시대의 삶을 바라보는 경계로서 세계에 대한 사유를 확장했던 도상이었다. 도상의 의미와 구조는 경계에서 사유한다는 점에서 세속적인 삶을 넘어 종교적 삶을 간구하던 순례 문화와 결합되어 교회의 의미와 결합되었고, 체스 도상의 경우처럼 십자군 원정이 이루어지던 현실적 상황을 반영하고 있다.

프란치제나 가도의 교회들의 미로 도상은 고대의 신화적 원형을 차용해왔지만 새로운 시대를 주도하던 세계관의 표현에 대한 선언이며, 또한 세속적인 삶을 넘어서 종교적 삶을 간구하던 중세의 순례 문화 속에서 현세적 삶과 종교적 삶의 경계로서의 세계에 대한 사유를 확장시켰다. 따라서 미로 도상은 구조적 보편성을 통해서 그리스도의 구원이라는 삶의 목적을 강조하고 당시 삶을 바라보는 다층적인 의미의 레벨들을 구성하며, 삶의 보편적 의미를 둘러싼 메타포라고 할 수 있다. 따라서 중세 미로 도상은 그리스도 교인에게 자기 반성적 의미를 부여할 수 있었던 종교적 명상의 대상이었다.

주제어(Keyword): 미로 labyrinth, 프란치제나 가도 Via Francigena, 파비아의 산 미켈레 교회 Chiesa di San Michele di Pavia, 피아첸자의 산 사비노 교회 Chiesa di San Savino di Piacenza, 산 카프라시오 디 아울라 교회 Chiesa di San Caprasio di Aula, 루카 대성당 Duomo di Lucca, 알라트리의 전(前) 산 프란체스코 수도원 Ex-convento di San Francesco di Alatri

참고문헌

Apollodorus. Biblioteca. Apollodoro; introduzione, traduzione e note di Marina
    Cavalli. Milano: A. Mondadori, 2006.

Battisti, Carlo. Giovanni Alessio, Dizionario etimologico italiano, Firenze:
    Barbera, 1957.

Belting, Hans. Garden of Earthly Delights. Monaco: Prestel, 2005.

Bord, Janet. Mazes and Labyrinths of the World. London: Latimer, 1976.

Capellae, Martiani. De nuptiis Philologiae et Mercurii. Liber I, 70.

Castleden, Rodney. The Knossos Labyrinth: A New View of the 'Palace of
    Minos' at Knossos. London. New York: Routledge, 1990.

Della Veniera, M. L. Risveglio. "La Paura del Minotauro e I simboli del labrinto,"
    In Alcuni aspetti dell'immaginario del pellegrino medievale. Aragona R. (ed.
    by). Napoli, 2000.

Durand, Gilbert. Le strutture antropologiche dell'immaginario, Ettore
    Catalano(trans.it). Bari: Dedalo edizioni, 2009.

Gibson, Margaret T. The Eadwine Psalter: Text, Image, and Monastic Culture in
    Twelfth-Century Canterbury. State College: Penn State University Press.
    1992.

Gobillot, R. and J. Lemarie. "Le Labyrinthe de la Cathedrale," Notre Dame de
    Chartres (1972: June).

Herman Hugo, 웹에디션: http://emblems.let.uu.nl/hu1624.html

Isidoro, Etimologiae. V, XXXVI, 1-2.

Manchia, Gianfranco. Cristo nel labirinto. La scoperta dell'idolo dei Templari.
    Roma: Palombi Editore, 2011.

Massola, Giorgio. Fabrizio Vanni, Il labrinto di Pontremoli. Firenze: Gli
    Arcipressi, 2002.

Pavat, Giancarlo. Il Cristo nel Labirinto. Il mistero dell'affresco. Città di Alatri.
    Frosinone: Nuova Stampa, 2009.

Vocabolario araldico ufficiale. Antonio Manno (ed.by). Roma: Civelli, 1907.

labyrinthos on the Via Francegina and forms of religious life

Choi Byung Jin (Seoul Wemen's University)

This article analyze on the iconographical meaning of the labyrinth of the five churches(chiesa di San Michele; Chiesa di San Savino; Chiesa di San Caprasio di Aula; Duomo di Lucca; ex-convento di San Francesco di Alatri) in the ancient Via Francigena where joined Canterbury to Rome, one of the most important pilgrimage's itinerary in the Romanesque and the Gothic period. The labyrinth is one of the oldest, and certainly one of the most mysterious symbols known to mankind. It has been looked upon as an object of appropriation and re-appropriation of the greek-roman meaning in this period. The symbolic representation of labyrinth has the function of the religious meditation and is based on the idea of boundary between the universality of the Christ's salvation and the reality of medieval life, therefore it contains a self-reflection of the daily life of medieval pilgrims and christians.

프란체지나 가도의 미로 도상과 종교적 삶

마티스의 말년 작품에서 드러나는 '생명'에 대한 표현과 생각

강영주(서울대학교)

I. 들어가는 말

　1869년 프랑스에서 태어난 마티스는 20세기 초에 야수파를 대표하는 작가로 이름을 알리기 시작하여 피카소와 쌍벽을 이루며 현대미술에 많은 영향력을 미친다. 장질환이 있던 그에게 1940년 말경 종양이 발견되어 이듬해 초 72살의 나이로 대수술을 받는다. 의사들이 6개월 정도 더 살 것이라고 하였기 때문에, 마티스 자신을 포함해서 그의 지인 모두 수술 후 그가 살아남을 수 있을지 회의적이었다. 회복 후 병원에서 마티스는 '죽었다가 살아난 사람'으로 알려지며, 그 자신 한 친구에게 쓴 편지에서 '제 2의 인생'을 살고 있노라고 말한다. 하지만 그가 이미 노쇠한데다가 병으로 인해서 그 어느 때보다도 신체의 취약성을 끊임없이 의식했음을 친지들에게 보낸 편지에서 확인할 수 있다. 마티스는 그에 굴복하거나 건강에 집착하는 대신, 1954년 사망할 때까지 젊은 시절보다도 훨씬 더 대담하고 자유로우며 생명감이 넘치는 작품들을 창조한다.

　그 스스로 "나는, 불가능하건만, 끝으로 만족해서 죽기 위해 자신의 그림을 다시

그림 1. 〈방스의 로사리오 예배당을 위해 벽화 데생을 하고 있는 마티스〉, 1949

시작하길 원하는, 머리가 돈 늙은이라네.”[1]라고 말할 정도로 여전히 지칠 줄 모르는 탐구심을 드러낸다. 퇴원 후 작업을 하기가 힘들어서 그는 유화작업보다는 종이오리기 작업을 개발한다. 그것은 작품에 들어갈 소재들을 색종이(원하는 색을 얻기 위해 구아슈로 직접 칠한 종이)에서 잘라낸 다음 풀로 붙인 것으로 프랑스어로는 데쿠파주(découpage)라고 한다. 마티스는 이 기법을 ‘가위로 그린 데생’이라고 부르며 그것을 이용해서 작품주제의 본질적인 속성을 단순하고 강렬하게 표현한다. 1943년부터 제작한 종이오리기 작품들 가운데 20개를 고르고 그의 글을 덧붙여 1947년 250부 한정판으로 출판된 작품집이 『재즈』이다.[2] 이 작품집은 여러 가지 점에서 그를 1950년대

1) Dominique Fourcade, *Henri Matisse, Écrits et propos sur l'art*, Paris, Hermann, 1972, p.193. 1947년 6월 3일 앙드레 루베이르(André Rouveyre)에게 쓴 편지. 마티스와 루베이르는 귀스타브 모로의 화실에서 만났는데 열 살의 나이차이가 남에도 거의 매일 서로 편지를 쓰다시피 했기 때문에 1200여 통의 편지가 남아있다. 이것들은 두 사람의 깊은 우정을 증언할 뿐만 아니라 마티스의 창조 과정과 그가 품고 있던 열망 등을 알려주는 중요한 자료가 된다.

2) 작품들 중 다수가 서커스에서 영감을 받은 것들이라 처음에는 ‘서커스’라는 제목을 붙이나, 재즈 음악의 즉흥성, 생명력, 청중과의 조화와 같은 특성들을 공유한다고 생각하여 ‘재즈’로 결정한다.

초의 '가장 젊은' 화가이자, 가장 혁신적인 예술가로 만들어준다.[3] 이어서 1946-1948년 사이 유화로 그린 실내 연작에서도 그는 '데생과 색채의 영원한 갈등'을 완전히 해결하며 회화에서 추구해오던 종합을 이루어낸다. 동시에 그는 1948년 초부터 프랑스 남부의 방스(Vence)에 있는 도미니코 수도회 수녀들을 위한 로사리오 예배당을 위한 첫 습작들을 그리기 시작하여 3년 뒤 완공 될 때 까지 지속적으로 다양한 작업을 한다. 그는 우선 스테인드글라스를 디자인하고, 그 다음에는 벽화를 그리며(도판 1), 성직자의 의복과 예배용 물품을 비롯해 교회 안팎의 거의 모든 것을 디자인한다. 그리고 마티스의 예술인생의 총체로 여겨지는 종이 오리기 대작들에서 최후의 쇄신과 종합을 이루며 비유적 표현과 완전한 추상 사이에서 미묘한 균형을 유지한다.

"나는 오래 사는 만큼 젊게 죽기를 바라네."[4]라며 목숨이 다할 때까지 마티스는 모든 살아 있는 존재를 관찰하고 생명의 본질을 드러내는데 주력하며, 보다 밀도 있는 생명감을 작품 속에 불어넣기 위한 온갖 가능성을 시도한다. 마티스가 작품의 제목이나 글에서 즐겨 사용한 '생명(vie)'이라는 말은 그의 관심이 정지 상태의 회화가 아니라 생기 넘치는 동적인 회화로 향하고 있을 드러낸다. 그러나 그에게 동적인 생명의 표현은 결코 '얼굴에 나타나든가 격한 동작으로 표현되는 정념 속에 있는 것'이 아니라, '생명에 대한 거의 종교적인 감정'을 표현하는 것을 의미한다. 그렇기 때문에 마티스는 현실의 보다 영속적인 번역, 보다 본질적인 성격을 추구해서 감각의 응집 상태에까지 도달하지 않으면 안 된다고 생각한다. 그리하여 보편적인 성격과 개별적인 특성 중 어느 것에도 치우치지 않고 각각의 면모를 표출하는 대가가 된다.

이 시기 마티스 작품의 토대를 이루는 데생, 색채, 빛, 공간 같은 조형요소들을 통해 생명이 표현되는 방식, 즉 작품에 정신과 활기를 불어넣어 계속 젊음을 유지하며 맥박치고 팽창하도록 하는 조건은 무엇인지 알아보고 그 의미에 대하여 연구해 보는 것이 이 글의 목적이다. 이 연구를 하는데 있어서 다음의 세 저서가 중요한 지침이 되었음을 밝힌다. 첫 번째는 도미니크 푸르카드(Dominique Fourcade)가 텍스트를 선정하

---

3) 특히 당시 미국의 바넷 뉴먼이나 마크 로스코 같은 젊은 추상화가들에게 매우 큰 영향을 미친다.
4) Dominique Fourcade, p.297. 1950년 4월 4일 앙드레 루베이르에게 쓴 편지.

마티스의 말년 작품에서 드러나는 · 생명 · 에 대한 표현과 생각

그림 2. 〈화가의 창문에서 바라본 나무 데생〉,
1941년 8월 5일, 종이에 잉크.

고, 주석과 색인을 달은『앙리 마티스, 미술에 대한 글과 말』인데, 화가 자신의 창작 체험에 기초를 두고 이론적 성찰을 보여주기 때문에 일차적으로 공부해야 할 자료가 되었다. 두 번째는 14년간 연구하여 기념비적인 책을 쓴 프랑스의 미술이론가 피에르 슈나이데르(Pierre Schneider)의 저서『마티스』이다. 슈나이데르는 마티스의 작품에 평생 일관되게 나타나는 성스러운 것에 대한 탐구와 그 표현의 변화를 읽어냄으로써, 마티스가 순수한 시각적 만족 이상의 것을 추구하지 않는다고 여기며 그의 작품을 형식주의내지 쾌락주의로만 접근하던 종전의 관점들을 벗어나 새로운 지평을 제시하였다. 마지막으로 마티스의 글과 말을 Matisse on art 라는 표제 하에 영어로 펴낸 미술사가 잭 플램(Jack Flam)의 저서『세기의 우정과 경쟁』은 피카소와 대비되는 마티스의 작품세계를 명석하게 분석하여 그의 조형의식과 생각을 좀 더 객관적으로 살펴볼 수 있게 하였다.

II. 생명의 표현 형식과 내용
II.1. 대상과의 일치를 통해 이룬
기호(sign)로써의 데생—일원적인 생명의 도약

말년의 마티스에게 사물의 본질적인 특징을 응축시킨 기호들을 고안하는 일은 매우 중대한 과제로 떠오른다. 그는 대수술을 받고 '부활'한 후 일 년 뒤에 초현실주의 작가인 루이 아라공과의 대화중에 "한 미술가의 중요성은 조형언어에 그가 도입한 새로운 기호들의 양으로 평가된다."고 하면서 "나는 기호들의 탐구에 의해 내 화

가인생의 새로운 전개를 절대적으
로 준비해야만 했다."고 털어 놓는
다.[5] 그 뒤에도 마티스는 기회가
될 때마다 기호의 중요성에 대해
언급하고 실제로 그의 데생과 회
화 모두에서 이전에 볼 수 없던 단
순성과 자발성을 이룬다.

하지만 마티스의 조형언어 가
운데 선(線)을 위주로 하는 데생에
서 먼저 기호화가 이루어지며, 그
대상은 나무에서 시작하여 여러
소재로 확대된다. 나무는 오래전부
터 그의 관심을 끌어왔는데, 1941

그림 3. 〈플라타너스〉, 1951, 150×150 cm,
앙리 마티스 미술관, 니스

년 여름 회복기임에도 무려 21점의 나무를 그림으로써 그 중요성을 입증한다(도판 2).
또한 1951~1952년 사이 마티스가 그린 데생들 가운데, 방스 예배당과 아씨(Assy) 성
당을 위해 그린 것을 제외하고, 그 크기와 장엄함에 있어서 나무 데생이 특히 주목할
만하다(도판 3).

그에게 데생을 기호화하는 것은 살아 있는 모든 것 속에 잠들어 있는 나무를 일깨
우는 문제라고 할 수 있다. 마티스는 1947년 한 수첩에 "나무들 속에 있는 기쁨을 발
견할 것"이라고 스무 번이나 쓰고, 같은 해 발간한 『재즈』에 삽입된 글에서는 "하늘,
나무들, 꽃들 속에서 기쁨을 발견할 것. 그것들을 잘 보려고 하는 사람에게는 도처에
꽃들이 있다."[6]고 쓴다. 나무들 속에서 발견하는 기쁨이란 수액을 통해 성장하고, 가
지치고, 꽃을 피우며, 새 생명을 주는 나무의 신비에 참여하는 것이라고 볼 수 있다.
이런 관점에서 마티스가 "정확하게 나무를 모사하면서" 나무의 기호를 얻는 것이 아

5) L. Aragon, *Henri Matisse, roman*, Paris, Gallimard, 1998, p.138.
6) "Jazz", 1947, in Dominique Fourcade, p.239.

니라, "자신을 나무와 일체화시킨 뒤" 얻게 된다고 단언한 것을 이해할 수 있다.[7]

　이처럼 마티스에게 나무의 기호를 알아낸다는 것은 나무를 객관적인 대상으로 보는 것이 아니라 그 생성과정을 받아들이면서 일원적인 생명의 도약을 이룸을 의미한다. 1942년경에 쓴 한 편지에서 그는 중국의 교수들이 학생들에게 "여러분이 나무를 그릴 때, 아래쪽으로부터 시작하여 나무와 함께 올라간다는 느낌을 가지시오."[8]라고 말한다면서 그것보다 더 참된 것을 알지 못한다고 주장한다. 마티스는 모델과 동화되는 과정을 묘사할 때 거의 언제나 나무를 예로 든다. 또한 서양인이 닦아온 '모방적인 데생'과 동양인이 그려온 '감성적인 데생'을 구분하는데, 후자를 설명하려고 그가 이용한 것도 바로 나무다. 심지어 그는 쿠튀리에 신부에게 방스 예배당의 작업에 대해 "그것은 땅에 있는 식물처럼 내 안에서 자라야 합니다."[9]라고 말한다.

　1952년 앙드레 베르데와 나눈 대화에서도 이와 유사한 동화과정을 느낄 수 있다. "예, 필선의 결정(décision)은 미술가의 깊은 신념(conviction)에서 나오지요. 이 종이 오리기, 당신이 저 위 벽에서 보는 그런 종류의 소용돌이 모양의 아칸서스는 달팽이를 양식화한 것입니다. 나는 우선 실제 달팽이를 두 손가락 사이에 잡고 그리고 또 그렸지요. 나는 하나의 펼쳐짐(un déroulement)을 알아차렸고 내 머릿속에 달팽이껍데기의 정제된 기호를 그려보았지요. 그 다음 가위를 잡았어요. 결말은 시작과 더불어 살아 있는 것 같아야 합니다. 또한 관찰된 대상과 그것을 관찰한 사람 사이의 관계를 수립해야 합니다."[10]

　이 말은 마티스가 1953년에 제작한 〈달팽이〉(도판 4)를 연상케 한다. 이 작품은 데생이 아니므로 여기서 거론하는 것이 부적절해보일 수 있지만, 종이 오리기 기법은 마티스가 대수술 이후 오랫동안 붓을 잡을 수 없었기 때문에 침대에서 가위를 연필

---

7)　L. Aragon, *op. cit.*, p.137.
8)　"Lettre à A. Rouveyre sur le desssin de l'arbre", in Dominique Fourcade, p.167.
9)　M.-A. Couturier, *Se garder libre*, in Dominique Fourcade, p.270.
10)　André Verdet, "Entretien avec Henri Matisse", *Prestiges de Matisse*, Paris, Emile Paul, 1952, pp.64-65. in Dominique Fourcade, p.161, 주7).

대신 사용한 것이다. 이 기법은 그에게 "윤곽을 그리고 그 안에 색칠하는 대신 색채 안에서 직접 데생"[11]하는 역할을 하며 '영원한 갈등을 일으키던' 데생과 색채가 결합하는 것을 의미한다.[12] 다시 말해 〈달팽이〉에서 마티스는 주체와 객체의 일치뿐만 아니라 데생과 색채의 일치를 통하여 오래 전부터 극복하기를 간절히 원하던 모든 이원론을 해결하고 매우 간결하면서도 생명력이 넘치는 작품의 전형을 보여준다.

그림 4. 〈달팽이〉, 1953, 구아슈 종이 오리기,
286 × 287 cm, 테이트 갤러리, 런던

마티스는 그의 작업에 적용된 '결정(décision)이라는 말을 좋아하지 않는다. 마티스는 1942년 아라공에게 "배운 제스처들을 잊게 하는 손의 훈련"에 대해 이야기 하면서 다음과 같은 예를 든다. "당신이 따귀를 때릴 때, 당신은 물론 힘없이 주저하며 때

---

11) "Propos rapportés par André Lejard", 1951, in Dominique Fourcade, p.243. 잭 플램은 마티스의 종이 오리기 작업이 콜라주와 연관되기도 하지만 그 둘은 동떨어진 성격을 갖고 있다고 지적한다. 피카소의 콜라주는 수작업한 이미지에 일부러 이질적인 실세계의 물체들을 섞어 넣는데 반해, 마티스의 종이 오리기 작업에서 종잇조각들은 항상 마티스나 그의 조수들의 손으로 채색되었으며 언제나 예술의 영역 안에 남아 있다는 것이다. 또한 종이 오리기 작업의 주제가 이전 작품들보다 더 직접적인 방식으로 설화와 문학을 끌어들이긴 하지만 마티스는 예술의 요소들과 실생활의 물건이 뒤섞이는 것을 허용하지 않는다고 설득력 있게 지적한다. 잭 플램, 『세기의 우정과 경쟁』, 예경, 2005, p.245.

12) 『마티스, 미술에 대한 글과 말』에는 마티스가 1941년 10월 6일 앙드레 루베이르에게 쓴 편지에서 "한 인간 안에 존재하는 데생과 색채 사이의 영원한 갈등"이라는 구절을 따와서 「데생과 색채의 영원한 갈등(L'éternel conflit du dessin et de la couleur)」이란 항목 아래 50페이지에 걸쳐 소개하고 있다. 이는 마티스가 1940-1947년 사이에 쓴 각종 편지에서 발췌한 것들을 모아 놓은 것으로 당시 그에게 이 문제가 얼마나 중요했는지를 알 수 있다. 야수파 시절에는 마티스의 데생이 색채에 복종하고, 1928년 이후에는 데생이 최대한 강하고 순수해져서 색채를 약화시킬 수밖에 없게 되므로 그 두 요소가 공존하기 어려운 상태를 일컫는 말이라고 할 수 있다.

리지는 않지요. 예, 거기에는 어떤 비약(élan)이 있어요. 이 비약은 결정이 아니라 신념
(conviction)이에요.”[13] 이어서 그는 선(線)의 비약도 그와 마찬가지로 일종의 신념에서
나온 것이지 결정을 따른 것이 아니라고 말한다.

마티스는 이 시기에 유난히 ‘엘랑(élan)’이라는 프랑스 말을 많이 사용한다. 이 말은
비약, 도약, 약동 등의 뜻을 가지고 있는데 프랑스의 철학자 앙리 베르그송의 『창조
적 진화』의 핵심 개념인 ‘생명의 비약(élan vital)’과 밀접하게 연관되어 있다고 볼 수 있
다. 죽기 몇 달 전에 종이 오리기로 작업한 거대한 작품, 〈다발(La gerbe)〉(도판 5)의 주
제는 바로 마티스가 젊었을 때 읽었고 말년에 다시 본 『창조적 진화』에 나오는 ‘다발
개념’을 참고로 한 것이다. 삶을 줄기차게 전진하도록 하는 가장 내적인 힘은 ‘생명의
비약’이다. 로케트가 발사될 때 언제나 새로운 불꽃이 여러 가지 색깔로 나오듯이 ‘창
조적 진화’ 속에 있는 생명의 비약도 언제나 여러 가지 새로운 방식을 낳는다. 베르그
송에게 다발은 생명력과 같은 것이다. 그는 “생명은 경향이며, 경향의 본질은 다발의
형태로 발전하는 것인데, 바로 그 성장에 의해 자신의 비약을 공유한 채로 갈라지는
방향들을 창조한다.”[14]고 쓴다. 마티스의 〈다발〉도 성장하면서 경로가 부채꼴로 계속
갈라지는 식물의 모습을 보여주고 있다.

이처럼 마티스는 기호화된 데생을 통해 대상과 자신의 내면에서 솟아나는 생명의
도약을 종합적인 구조 속에 일체화 시키고자 한다. 이는 자연의 구성원인 인간이 과
학적인 지식으로 무장한 채 자연을 지배하고 자연과 분리되어서, 자신의 내적인 자연
성도 억압하고 퇴화시키는 현상과는 정반대 지점에 있는 것이다. 이런 관점을 마티
스 자신이 분명히 밝히고 있다. 그는 레씨기에 수사에게 “유럽의 르네상스는 해부학
에 매달렸지요. 그것은 식물-동물-인간 사이의 접근을 매우 어렵게 했습니다.”[15]라

13) L. Aragon, op. cit., p.107.
14) Henri Bergson, L'évolution créatrice, Paris, Presses universitaires de France, 1969,
      p.110.
15) Entretien avec le frère Rayssiguier, Nice, 9 janvier 1949, in Pierre Schneider,
      p.595. 레씨기에 수사는 마티스가 방스 예배당을 맡았을 때 가톨릭 교리적인 측면에서
      그를 도우려고 파견된 사람이다.

고 말한다. 또 다른 글에서는 "자
연에 관해 말할 때 우리 자신이
그것의 일부라는 사실을 잊어버
리는 것은 잘못이다. 우리는 우리
가 나무나 하늘이나 어떤 사상을
탐구할 때와 똑같은 호기심과 열
린 마음을 가지고 우리 자신을 바
라보아야 한다. 왜냐하면 우리 역
시 우주 전체에 연결되어 있기 때
문"[16]이라고 주장한다.

그림 5. 〈다발(La gerbe)〉, 1953, 294 x 350 cm,
해머미술관, 캘리포니아대학, 로스앤젤레스

　　화가와 어떤 대상과의 일치는 순식간에 즉각적으로 이루어지지 않으며 그것의 기
호가 무엇인지 알기 위해서 그는 오랫동안 연구해야 한다. 마티스는 그 과정을 다음
과 같이 묘사한다. "나에게 가장 중요한 것이라고요? 내 안에 충분히 간직하여 즉흥
적으로 그릴 수 있을 때까지 나의 모델을 공부하고, 모든 살아 있는 것의 위대함과 신
성한 특징을 존중할 수 있게 됨에 따라 내 손이 달리도록 내버려 두는 것입니다."[17]
다시 말해 화가는 관심을 두는 대상과 서서히 동화된 다음, 자신이 진정 창조한 것처
럼 최대한의 '신념'과 자발성을 가지고 그림에 투사할 수 있어야 한다. 그렇기 때문에
마티스는 이러한 표현 방식을 배우는 학생들에게 추천하지 않는다. "그것은 출발이
아니라 결말이지요. 그것은 섬세함과 긴 경험을 한없이 요구합니다. 오랫동안 공부하
고 서두르지 말아야 해요. 이처럼, 기호로 시작한 사람은 막다른 골목에 아주 빨리 부
딪칩니다. 내 경우에는, 사물들로부터 기호로 나아갔어요."[18]

　　다른 한편 "기호가 하나의 종교적인 특징을 가질 수 있다"[19]고 마티스는 주장한

16) 자크 라쎈느, 『앙리 마티스』, 열화당, 1996, p.46.
17) "Témoinage", 1943, in Dominique Fourcade, p.196.
18) "Propos rapportés par André Lejard", 1951, in Dominique Fourcade, p.243.
19) Dominique Fourcade, p.205.

다. 앞서 그가 기호는 신념에서 나오는 것이지 결정한 다음 이루어지는 것은 아니라는 주장이 이 말을 뒷받침해줄 수 있다. 또한 기호가 어떤 대상과 일치되는 과정을 통해 이루어지는 점도 종교적인 속성과 연결될 수 있다. 나무든 사람이든 어떤 모델과 일치를 이루기 위해 자신을 떠나는 것은 신적인 것에 이르는 길이기도 하다. 마티스가 1930-40년대 침대머리맡에 놓고 읽은 책들 가운데 하나가『그리스도를 본받아(L'imitation de Jésus-Christ)』, 즉『준주성범』이라고 한다.[20] 이 책의 "자기 자신을 떠나라. 그러면 나를 얻으리라." 같은 구절은 마티스가 기호를 고안하는데 토대가 되는 사물들과의 동화와 참여 과정이 잘 작동하게 하는 필수조건이다.

다음과 같은 마티스의 말들은 이러한 과정을 이해하는데 더욱 도움이 된다. "미술에서 진실과 현실성은 당신이 무엇을 하고 있는지를 더 이상 알지 못하게 되고 그러면서도 어떤 힘이 당신의 저항에 비례해서 성장하고 있음을 느끼게 되기 전까지는 생겨나지 않는다. 그리하여 당신은 마치 성체성사를 행하는 신부처럼 거의 모든 기억으로부터 벗어나서 전적인 순수와 결백에 스스로를 바쳐야 한다."[21]

또한「재즈」에서 그는 "나는 신을 믿는가? 그래, 일을 할 때는 믿지."[22]라고 스스로 묻고 대답한다. 그러면서 "내가 순종하고 겸손할 때, 내 힘을 능가하는 일을 하도록 하는 누군가가 나를 도와주는 것을 아주 많이 느낀다."고 덧붙인다. 마티스와 그의 분신이 나누는 짧은 대화를 통해 그는 작업이 미리 정해진 프로그램을 벗어나서 이해와 통제를 넘어설 때 신을 믿게 된다고 볼 수 있다. 신성이 약화된 세상에서 이처럼 신성함을 받아들이고 느낄 수 있는 능력은 마티스의 기호를 위한 토대가 되고 신성함의 원천을 이룬다.

---

20) Pierre Schneider, p.599.
21) 자크 라센느, *op. cit.*, p.76.
22) "Jazz", 1947, in Dominique Fourcade, p.238.

II.2. 순수한 색채들의 차이와 관계로 이룬 빛
―궁극적인 생명력을 주는 빛

마티스는 수술 이후 회화를 다시 시작하는데 데생의 경우보다 훨씬 더 어려움을 겪은 듯하다. 1942년 아들에게 쓴 편지에서 "1년 전부터 나는 데생에서 엄청난 노력을 했단다. 내가 '노력'이라고 말하지만 그것은 틀린 말이다. 왜냐하면 50년의 노력 끝에 '개화(floraison)'된 것이기 때문이다. 나는 회화에서도 같은 일을 해야 한다."[23]고 말한다.

일 년 뒤 앙드레 루베이르(André Rouveyre)에게 보낸 편지에서 "나는 오늘 오후 3시에 7시 30분까지 일어나 색채 작업을 했는데 색채에서 기다리던 큰 진척이 나타나는 것을 보았다고 확신하네. 그것은 작년에 내가 데

그림 6. 〈커다란 붉은색 실내〉, 1948,
캔버스에 유채, 146 x 97cm,
퐁피두센터, 현대미술관

생에서 했던 것과 유사한 것이라네. 나는 매우 만족하고 행복하네! 잘되면 좋은 날들이 있으리라 보네."라고 쓴다. 그러나 마티스의 유화작업은 여전히 본궤도에 오르지 못하고 데생과 같은 수준에 도달하는 데 4년이 더 걸린다. 1947년 5월 15일 앙드레 루베이르에게 보낸 편지에서 "몇 점의 캔버스 작업을 하고 있네. 하나의 새로운 세계가 주는 호기심을 느낀다네. 왜냐하면 내가 색채의 표현에 있어서 이처럼 분명히 전진한 적이 없기 때문이지. 지금까지 나는 사원의 문 앞에서 제자리걸음을 했네."[24]라고 한다. 드디어 마티스가 유화작업에서 기대하던 목표를 이룬 셈인데, 1946-1948년 사이 그가 그린 실내 연작 가운데 하나인 〈커다란 붉은색 실내〉(도판 6)에서 그것을 확인할 수 있다. 여기서 색채와 데생은 완전히 동등한 가치를 지니며 공존한다.

---

23) Dominique Fourcade, p.190.
24) Dominique Fourcade, p.193.

다시 아들에게 쓴 편지로 돌아가서, 데생에서 했던 것을 회화에서 한다는 말을 새겨보면, 이는 회화에서도 데생과 마찬가지로 자신만의 조형언어, 즉 기호를 고안해야 된다는 뜻임을 알 수 있다. 실제로 마티스의 이 시기 작품들은 색채에도 영혼이 있음을 보여준다는 평가를 받을 만큼 가장 순수한 색채와 형태의 결합을 보여준다. 하지만 색채의 표현을 통해 그가 궁극적으로 추구한 것은 '빛'이라고 할 수 있다. 피에르 슈나이데르도 마티스 말년의 7~8년 동안 창작한 작품들이 그 이전의 것들과는 매우 다르며, 이 새로운 작업들을 구분 짓는 것은 빛이라고 지적한다.[25] 마티스 자신도 이미 1941년에 피에르 쿠르티옹(Pierre Courthion)에게 "내 작품의 주된 목표는 빛의 명료함(clarté)"이라고 밝힌 바 있으며, 1953년『Look』잡지의 기자가 그에게 현대미술이 어떤 방향으로 나아갈지 물었을 때에도 "빛"이라고 대답한다.

이 시기 그가 연구한 빛은 데생과 마찬가지로 모방에서 벗어나야 했다. 그러므로 인상주의자들처럼 시시각각 변하는 물리적인 현상으로서의 빛이 아니라, 순수하고 단순한 색채들의 차이와 관계를 통하여 빛을 표현한다. 그는 "우리는 음악에서 화음을 사용하듯이 아플라(aplats, 매끈한 색칠기법)의 고안에 의해 빛을 유발할 수 있다. (…) 나는 가장 단순한 색들을 사용한다. 내 자신이 그것들을 변화시키는 것이 아니라 그 임무를 맡는 것은 관계들이다. 다만 차이들을 돋보이게 하고 그것을 강조하는 문제일 뿐이다. 오직 일곱 음표로 구성된 음악처럼 아무것도 몇 가지 색채로 구성하는 것을 막지 못한다. (…) 기호들을 고안하는 것으로 충분하다."[26]고 주장한다.

로런스 고윙도 마티스가 "색과 색이 서로 대비되게 배치하고 색들 간의 상호작용 가운데 내재하는 빛을 드러내는 방법을 추구했다."[27]고 하면서 "단일한 색은 아무리 그 가치를 인정하려 해도 곧 사라질 순간의 생명밖에 갖지 못한다. 영속하는 것, 그것은 하나하나의 색채가 그 나름의 최고의 소리를 내면서 동시에 흔들리지 않는 조화

---

25) Pierre Schneider, *Matisse*, Flammarion, Paris, 1984, p.659.
26) "Le chemin de la couleur", 1947, in Dominique Fourcade, p.204.
27) 로런스 고윙, *op. cit.*, p.60.

를 형성하는 상태에서만 찾아볼 수 있다."[28]고 덧붙임으로써 색채들의 차이와 관계가 마티스에게 빛을 이루는 근간이 됨을 간파한다.

인상주의자들처럼 빛의 효과를 내기 위해 작고 가벼운 붓터치(분할기법)를 이용하지 않고, 매끈하게 칠하는 방법을 통해 도드라짐도 없고 그림자도 없이 순수한 색조로 빛을 표현한 예로 〈달팽이〉(도판 4)와 〈다발〉(도판 5)을 들 수 있다. 여기서 색채는 음표와 같은 조형언어, 즉 모방을 벗어난 기호로 작동한다.

그림 7. 〈이집트 풍의 커튼〉, 1948, 캔버스에 유채, 116.2 x 488.9 cm, 필립스 컬렉션, 워싱턴

"물론 이러한 빛을 표현하는 것은 색이지만, 무엇보다도 빛을 느끼고 내면에 받아들여야 한다."[29]고 마티스는 말한다. 이것은 그가 나무를 그리기 위하여 나무와 하나가 되어야 한다는 말과 같은 맥락으로 이해할 수 있다. 마티스는 말년에 실제의 빛과 내면의 빛이 완전히 하나 됨을 느낀듯하다. "야수파 시절에 나는 내적인 빛, 정신의 빛, 또는 당신이 선호한다면 도덕적인 빛을 몰랐어요. 오늘날 나는 매일 이 빛 속에서 삽니다. 자연의 빛, 즉 밖에서 하늘에서 우리에게 오는 빛이 이 내적인 빛과 융합되지요."[30]

이렇게 마티스는 색채의 관계들을 통해 빛을 표현하기 때문에 그에게는 검정색조

---

28) *Ibid.*
29) Dominique Fourcade, p.104. 그렇기 때문에 그는 젊은 화가는 오랜 수업 기간을 거친 뒤에 색채에 착수해야 한다고 생각한다.
30) A. Verdet, "Entretien avec Henri Matisse", *op. cit.*, p.130, in Pierre Schneider, p.660.

그림 8. 〈검은색 제의 "Esperluçat"〉, 1950, 구아슈 종이 오리기,
129 x 197 cm, 앙리 마티스 미술관, 니스

차 빛을 표현할 수 있다.「검정색은 색이다」라는 글에서 그는 "노랑, 파랑 또는 빨강과 같은 다른 색들과 같은 자격으로 검정색을 사용하는 것은 새로운 일이 아니다. 동양인들은 색처럼 검정색을 이용했고, 특히 일본인들은 판화에서 그렇게 했다. (…)내 〈모로코 사람들〉에서 대규모의 검정색이 다른 색채들처럼 빛을 품고 있지 않은가?"[31]라고 쓴다.

검정색을 단순히 색으로 사용한 것이 아니라 빛의 색으로 사용한 예도 〈달팽이〉와 〈다발〉에서 찾아볼 수 있다. 이 작품들에서 검정색은 다른 원색들과 동등하게 함께 배치되었을 뿐 아니라 화면의 맨 위쪽에 자리 잡고 있음에도 전혀 어둠과 무게를 끌어들이지 않는다. 그밖에도 〈이집트 풍의 커튼〉(도판 7)이나 로사리오 예배당의 검정색 제의복의 축소 모형 시리즈(도판 8)까지 마티스 말년의 많은 작품들은 순수한 검정색을 어둠의 색으로서가 아니라 빛의 색으로 사용한다. 특히 검정색 제의복 모형에는 '눈을 열다'나 '지각하다'의 의미를 가진 프로방스 단어인 esperluçat라는 글을 써넣고 있어서 평생 '검은 빛'에 대해 명상한 화가의 관심을 요약하는 듯하다.[32]

빛을 발하는 것은 그의 회화작품만이 아니다. 그의 데생들도 그러한 미덕을 공유한다. 마티스는 "데생들은 빛의 생성자다."라고 하면서 그것들은 "빛 그리고 색채와 맞먹는 명암의 차이를 분명히 지니고 있다."라고 주장한다.[33] 이러한 주장은 마티스

---

31) "Le noir est une couleur", in Dominique Fourcade, p.202.
32) 존 게이지, 『색채의 역사-미술, 과학 그리고 상징』, 사회평론, 2011, p.240.
33) *Ibid*, p.159.

의 말년 작품에서 최우선 목표가 되어서 〈파인애플〉(도판 9)이나 〈보들레르의 악의 꽃을 위한 데생〉(도판 10)에서처럼 데생 주위에 남겨놓은 여백이 데생 자체만큼 중요하게 된다. 이 작품들에서 여백은 강한 빛의 효과를 내는데 이용되며 이웃한 면을 숨 쉬게 만든다. 〈다발〉(도판 5)에서 표현된 가지치기 역시 다채로운 빛의 활력 못지않게 빈 공간의 흰색이 방사하는 힘에 의해 이루어진다.

로사리오 예배당의 벽화들 가운데 〈성 도미니코〉(도판 11)와 〈성모자상〉(도판 12)에는 모두 얼굴이나 세부묘사가 생략된 채 간략한 선으로만

그림 9. 〈파인애플〉, 1948, 붓과 잉크, 104×74㎝, 개인소장

표현된 것도 미학적·정신적 측면에서 그러한 점이 중시되었기 때문이라고 볼 수 있다. 피카소는 마티스가 그린 인물들이 말년으로 갈수록 더욱 더 얼굴이 없는 이유를 즉각 이해한다. 그는 "사람의 형상 전체를 그릴 때, 자주 얼굴이 모든 것을 망쳐버린다. (...) 얼굴에 너무 많은 세부를 집어넣으면 그것은 빛을 망쳐놓는다. 빛 대신 구성에 구멍을 만드는 그림자를 얻게 되며, 눈이 원하는 대로 자유롭게 순환할 수 없게 된다."[34]고 예리하게 지적한다.

그렇다면 마티스에게 빛이 왜 그토록 중요한가라는 자문을 하게 된다. 그는 방스 예배당의 주안점은 "스테인드글라스의 다채로움과 벽화들의 흑백 대조가 빛에 온전히 생명의 특질을 주게 했고, 빛이 본질적인 요소가 되도록 했는데, 그것은 채색하고,

34) Yve-Allain Bois, *Matisse and Picasso*, London, Thames & Hudson, 2001, p.206.

정신을 고양하고, 전체에 생명력을 불어넣으며 제한된 크기임에도 불구하고 그 안에 무한한 공간의 인상을 주는 것"35)이라고 언급한다. 이 말에 따르면 빛은 각각의 요소들을 살아 있는 것 같이 생생하게 만들며, 작품전체에 유기적인 통일성을 부여하고, 제한된 장소를 확장하여 정신적인 공간으로 만든다고 볼 수 있다.

하지만 이것이 마티스가 빛을 중요시하는 전부라고 할 수 없다. 그는 "방스 예배당을 방문하기에 가장 좋은 계절은 겨울이고, 가장 좋은 시간은 그 시기 오전 11시"36)라고 말한다. 그 이유는 스테인드글라스가 이 "성소를 지배하는 검은색과 흰색을 변모시켜서 모두 천국의 프리즘처럼 빛나게 만들기"37) 때문이라고 한다. 이는 빛을 통해 예배당을 지상의 천국과 같은 느낌을 주는 곳으로 만들어 신자들에게 신앙심을 고취시키려 한다는 뜻으로 해석할 수도 있다. 하지만 피에르 쿠르티옹에게 "내 작품의 주된 목표는 빛의 명료함"이라

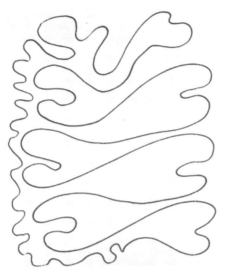

그림 10. 〈보들레르의 악의 꽃을 위한 데생〉, 1947, 펜과 잉크, 27.2×21.1㎝, 에르미타주 미술관, 상트페테르부르크

그림 11. 〈성 도미니코〉, 1950, 유약을 입힌 색타일, 로사리오 예배당, 방스

---

35) "Il faut regarder toute la vie avec des yeux d'enfants", 1953, in Dominique Fourcade, p.323.
36) Dominique Fourcade, p.265.
37) *Ibid.*

고 밝힌 점을 상기하면, 마티스는 일체의 그림자를 배제한 채 광채와 순수성이 변질되지 않는 정오의 투명한 빛을 의도적으로 추구한 것은 아닐까? 니체와 마찬가지로 그는 "가장 밝은 빛으로 바뀐 정오의 순간에 생명의 발아가 일어나며 인간으로 하여금 생명의 힘찬 진행과 세계를 긍정할 수 있는 밝고 명랑한 세계관을 제시한다."[38]고 생각한 것은 아닐까? 마티스는 프랑스 비평가 조르주 샤르보니에와의 대담에서 "나는 예배당의 방문자들이 정신이 가벼워지는 체험을 하기 바랍니다. 신자가 아니더라도 그들이 정신이 고양되는 환경 속에 있기를 바라며, 생각이 밝아지고 감정 자체가 가벼워지기를 바랍니다."[39]고 밝힌다. 빛은 이처럼 가벼움과 비상의 기호이기도 한 것이다. 그림자 없는 정오의 빛은 마티스가 자신의 관객이 삶의 명랑성을 회복하고 참된 삶의 영역으로 들어갈 수 있게 해주려는 일종의 사랑 방식으로 볼 수 있다.

그림 11-1. 〈성 도미니코〉, 1950,
유약을 입힌 색타일, 로사리오 예배당, 방스

이러한 측면은 다만 종교적인 벽화나 스테인드글라스에만 국한된 것이 아니라 마티스의 예술관의 본질이라고 할 수 있다. 일찍이 그는 1908년 「한 화가의 노트」에서 "내가 꿈꾸는 것은 불안하거나 걱정되는 주제가 없이 균형 잡히고, 순수하며, 평온한 미술이고, 문필가나 사업가 같은 모든 정신노동자를 위해 완화제나 진통제, 또는 신

---

38) 김정현, 『니체, 생명과 치유의 철학』, 책세상, 2006, p.321. 니체와 마티스가 이렇게 기쁨과 가벼움을 중시 여기는 측면에 대해 피에르 슈나이데르의 책 257쪽을 더 볼 것.
39) Georges Charbonnier, "Entretien avec Henri Matisse", *Le monologue du peintre*, Paris, Editions Guy Durier, 1980, pp.211-212.

체의 피로를 풀어주는 좋은 안락의자와 같은 그 무엇이 되기를 바란다."[40]고 피력한 바 있다.

그로부터 40년 가까이 흘러 방스 예배당을 맡기 일 년 전 「재즈」를 위해 쓴 글에서 앞서 언급한 『그리스도를 본받아』를 두 번 인용한다. 하나는 "짓누르는 것을 유일하게 가볍게 만들고 불평등한 것을 평등한 영혼으로 견디게 하는 아주 위대한 선행, 사랑은 위대한 것이다. 왜냐하면 사랑은 무거운 짐이 아니라 무게를 지고 부드럽게 하고 모든 쓰라린 것을 달콤하게 하기 때문이다."이고, 다른 하나는 "사랑은 위로 오르려 하기 때문에 세상 그 무엇에도 사로잡히지 않는다. (…) 하늘과 땅에서 사랑보다 더 달콤한 것, 더 힘 있는 것, 더 고상한 것, 더 관대한 것, 더 다정한 것, 더 충만한 것, 더 좋은 것은 없다. 이는 사랑이 하느님께로부터 온 것이며, 모든 피조물 위에 계시는 하느님 외에는 사랑이 머물 곳이 없기 때문이다. 사랑을 하는 사람은 날고 뛰어다니며 즐거워한다. 그는 자유롭고 아무런 거리낌도 없다."이다.[41] 이처럼 마티스가 선택한 구절들은 가벼움과 비상의 기호를 갖는 빛의 속성과 정확히 부합한다. 또한 그

그림 12. 〈성모자상〉, 1950, 유약을 입힌 색타일, 로사리오 예배당, 방스

그림 12-1. 〈성모자상〉, 1950, 유약을 입힌 색타일, 로사리오 예배당, 방스

40) "Notes d'un peintre", 1908, in Dominique Fourcade, p.50. 슈나이데르는 마티스가 자신의 예술 목표를 처음으로 제시한 것이자 가장 완벽하게 정의(定義)한 이 글은 그 어조의 진중함과 세속적이고 쾌락주의적인 내용의 간격 때문에 제대로 이해받지 못했고, 통속적인 변장 아래에 있는 신성한 것의 신화, 즉 근심걱정 없는 문명의 황금기로 돌아가고 싶은 염원을 알아차리지 못했기 때문이라고 지적한다. Schneider, p.268.
41) "Jazz", 1947, 239.

것들은 화가 자신이 궁극적으로 삶에 대한 사랑과 생명력이 충만한 상태를 지향하고 자신의 관객들도 그러한 상태를 누리게 하고 싶은 소망이 담겨 있는 젊은 시절의 예술관이 그대로 연장되고 있음을 확인시켜준다.

II.3. 기호화된 데생과 빛을 통해 이룬 공간의 확장
—생명력의 확산과 정신의 고양

기호화를 통해 똑같은 정도의 강렬함과 순수성으로 끌어올려진 데생과 빛에 의해, 마티스는 현실의 뿌리를 버리지 않으면서도 추상의 절정에 이르게 되며, 보편적인 성격과 개별적인 특성 중 어느 것에도 치우치지 않는 작품을 하게 된다. 나아가 그는 기호와 함께 자유롭게 장식적으로(ornementalement) 구성할 수 있게 되고, 프레스코를 만들 수 있는 '제2의 인생'을 꿈꾼다.[42] 어떤 미술작품이 장식적이라고 하면, 일반적으로 본질적인 것보다는 부수적인 것에 치중하는 것으로 여기고 폄하하는 것으로 들릴 수 있다. 그러나 마티스에게 장식적인 공간은 평면성과 순수성을 최대한 확보하는 "참으로 조형적인 공간"[43], 즉 깊이에 대한 착각을 유발하는 환영적인 공간이 아니라 미술 고유의 공간을 창조하는 그림을 의미한다. 그 결과 장식적인 공간은 중세의 프레스코 벽화처럼 보다 기념비적인 회화를 꿈꾸고 실현케 하는 가능성을 의미한다.

한 걸음 더 나아가 마티스는 "나는 그림의 역할, 모든 장식적인 그림의 역할은 화면을 확장하는 것이라고 생각하며, 그리하여 사람들이 벽의 크기를 느끼지 못하도록 하는 것이라고 생각해요."[44]라고 말한다. 이처럼 마티스가 기호화된 데생과 순수한 색면들의 상호작용으로 얻은 자율적이고 정신적인 빛을 통해 궁극적으로 이루고자

---

42) 1942년 루이 아라공과의 대화, 에크리 204.
43) 로런스 고윙, 『마티스 : 아름다운 색의 마술사 』, 시공아트, 2012, p.131. 마티스가 말한 '참으로 조형적인 공간'이란 깊이에 대한 착각과 구별되는, 당시의 언어로 말하자면 미술 고유의 공간을 의미했다. 그것은 그림 표면에 해당하는 부분의 공간적인 함의를 의미한다.
44) Georges Charbonnier, op. cit., p.210.

그림 13. 〈삶의 기쁨〉, 1905-1906, 캔버스에 유채,
176.5 × 240.7 cm, 반즈 재단, 필라델피아

한 것은 공간의 확장이다.

하지만 기념비적인 효과와 공간의 확장 효과는 화면의 실제 크기와는 무관하고 그 안에 형상을 배치하는 방식에 좌우된다. 마티스는 흔히 평면적인 공간 속에 형상의 절반이 화면 밖에 있는 인물이나 단편화된 대상들을 배치

한다. 그렇게 온전하지 않은 형상들이 역설적으로 공간을 확장하고, 관람자로 하여금 신체적·정신적으로 화면에 더 가까이 다가가게 한다. 마티스가 1906년에 그린 〈삶의 기쁨〉(도판 13)과 1931-33년 반즈 재단을 위해 한 그린 〈춤〉(도판 14)을 비교하면 그러한 특징이 분명히 드러난다. 〈삶의 기쁨〉에서는 춤추는 사람들의 모습이 그림 안쪽에 온전히 제시된다. 하지만 관객은 그 광경을 거리를 두고 멀리서 바라볼 수밖에 없다. 그리하여 관객의 참여는 저지되고, 화면의 공간도 그림틀 안에 머무르게 된다. 반면 〈무용〉에서 무용수들은 모두 부분적으로 제시되지만, 화면 밖으로 튀어나와 관객에게 돌진하며 참여를 부추긴다. 그 결과 관객은 그들의 움직임 전체를 온전히 보지는 못해도 부분 속에서 훨씬 더 실감나게 느낄 수 있다. 이렇게 공간이 확장되고 관객의 참여를 유발하는 특징은 캔버스 화면이든, 책이든, 건물이든 거의 모든 말년의 마티스 작품에 적용된다.

그림 14. 〈춤〉, 1932-33, 캔버스에 유채, 왼쪽 339.7 x 441.3 cm; 중앙 355.9 x 503.2 cm;
오른쪽 338.8 x 439.4 cm, 반즈 재단, 필라델피아

1950년 마티스는 레씨기에 수사에게 성모를 위한 데생의 일부를 다시 그려야 했고 아기 예수의 발을 지워야 했다고 털어놓는다. 그 이유가 "사람들이 꽃은 보았지만 뿌리는 보지 못했기 때문"[45]이라는 것이다. 이는 보이지 않는 것을 보이게 하기 위해 오히려 전체보다 부분을 택했다는

그림 15. 〈브로디 저택에 설치된 마티스의 다발 〉, 1953

말이 된다. 그림은 '보이는 것을 보여주는 것이 아니라 보이지 않는 것을 보이도록 한다.'는 파울 클레의 유명한 공식은 〈성모자상〉(도판 12)에만 국한된 것이 아니라 〈성 도미니코〉(도판 11)나 〈플라타너스〉(도판 3) 등에서도 찾아 볼 수 있다. 또한 공간이 사방으로 확산되는 특징을 통해 생명 현상을 보다 직접적으로 다룬 작품의 예로 〈다발〉(도판 5)과 〈달팽이〉(도판 4)를 들 수 있다.

장식적인 공간이 만들어내는 또 다른 역설은 형상의 파편화를 이용해 화면에 나누어 질 수 없는 통일성을 부여한다는 점이다. 마티스의 색채 사용법에 대한 피카소의 다음과 같은 지적은 이 점을 분명히 알 수 있게 한다. "내 그림 한 점에 어떤 붉은 색점이 들어 있을 경우 그것이 그 작품의 핵심이 된다는 것은 있을 법하지 않은 일이다. 이를 의식하지 않고 그 그림은 그려진 것이다. 이 붉은색의 위치를 옮겨 놓을 수도 있으며 그렇게 하여도 그 그림은 여전히 거기 있을 것이다. 그러나 마티스의 작품에서는 아주 작은 크기일지라도 붉은 점 하나를 옮겨 놓는다는 것은, 그림 전체가 일시에 무너져 버리지 않고는, 상상도 할 수 없는 일이다."[46] 피카소의 이 말은 앞서 여러 차례 강조한 마티스 작품의 본질적인 특징, 즉 색채 뿐 아니라 화면의 모든 구성요소가 관계로 맺어져 있음을 단적으로 확인해준다.

45) Pierre Schneider, *op. cit.*, p.598.
46) 자크 라셴느, *op. cit.*, p.135.

이러한 공간이 말하는 것은 형상들 가운데 하나를 통해 말하는 것이 아니라 형상들 전체를 통해 말한다. 예컨대 화가가 기쁨을 표현하고자 한다면 기쁨을 나타내는 한 인물을 묘사함으로써 표현하지 않고 작품 전체가 기쁨을 표현한다. 장식적인 작품에서는 이처럼 각별히 표현적인 형상 하나를 통해 생명력이 '묘사'되는 것이 아니라 그 안에 위치한 모든 구성요소들의 상호 관계를 통해 '지시'되는 것이다. 잭 플램은 이러한 특징을 다음과 같이 묘사한다. "마티스의 그림은 언제나 어떤 것이 다른 것을 돋보이게 하도록 구성되어 있기 때문에 보통 '초점' 같은 것을 피한다. 어디를 바라보든 간에 동시에 다른 어떤 곳 역시 바라보게 된다."[47] 반면 "피카소의 그림은 중심 주제에 더욱 초점을 맞추려는 경향이 있으며 형태들은 보통 그림 공간 안에 더욱 굳게 자리한다."[48] 그 결과 마티스가 이룩한 공간은 중앙으로부터 퍼져나가는 원심성과 동질성의 특징을 갖고, 피카소가 이룩한 공간은 중심성과 이질성을 갖는 것이 특징이다.

이렇게 강력한 통일성을 확보한 장식적인 공간은 파편적으로 지각되는 것이 아니라 전체로 지각된다. 즉 관람자는 분석적이고 세부적인 의식(意識)을 가지고 형상 하나하나를 뜯어보는 것이 아니라, 종합적이고 총체적인 무의식 상태로 작품을 받아들이게 된다. 이때 그는 작품과 소통(communication)한다기보다 작품에 전염 또는 감염(contagion)된다고 말하는 편이 적절할 것이고, 작품을 감상하는데 있어서 개입되는 일종의 폭력성도 사라지게 된다.

마티스가 형태와 색채의 단순화를 통해 달성한 장식성은 잘못하면 화면을 경직시키고 단순한 무늬로 작품을 변모시킬 수 있다. 하지만 그는 이와 반대로 단순성의 세계에 리듬을 도입하여 생기 있는 세계로 변화시킬 뿐 아니라 동시에 모뉴멘틀한 성격을 갖게 한다. 그리하여 장식성은 마티스가 사적이고 친밀한 그림에서 벗어나 보다 공개적인 성격을 띠는 그림으로 나아가도록 도와준다.[49] 한 미국인 부부가 캘리포

---

47) 잭 플램, *op. cit.*, p.200.
48) *Ibid.*
49) 마티스는 "페르시아의 세밀화들이 나에게 내 감각의 모든 가능성을 보여주었다. (…)

니아에 있는 새 저택을 위
해 주문한 세라믹 벽화인 〈
다발〉(도판 15)[50]과 특히 마
티스가 방스 예배당을 위해
제작한 벽화들은 그러한 역
할을 하는데 결정적이었다.
이 예배당은 아주 작아서,
당시 마티스가 거주하던 레
지나 저택의 앞쪽 방 두 개
가 정확히 이 예배당과 같
은 치수라서 그가 실물 크

그림 16. 〈빌라 나타샤의 식당〉, 왼쪽 〈나무〉, 세라믹, 1952;
오른쪽 〈중국풍의 물고기들〉, 스테인드글라스, 1951.

기로 작업할 수 있을 정도였다. 그 결과 "개인의 시각적인 지상낙원으로 보았던 화실
이 남들을 위한 거룩한 장소로 전환"[51] 된 것이다. 방스 예배당은 더 이상 마티스의
작업실에서 진행된 개인의 작업으로 존재하는 것이 아니라 경배하고 기도하는 공공
장소가 됨으로써 제도적이고 공개적인 성격을 띠게 된다. 또한 방스 예배당과 더불어
마티스는 데생, 회화, 조각, 건축 등 미술의 여러 장르 구분뿐 아니라 일상의 공간과
미술관의 공간이라는 구분조차 제거해버린다.

　방스 예배당의 작업이 1951년 끝났을 때, 마티스는 집주인이 '세상에서 가장 작은
식당'이라 부른 빌라 나타샤(Villa Natasha)(도판 16)의 한 방을 장식하기로 결심한다. 마
티스는 방스 예배당의 협소한 공간을 확장한 것처럼 그 공간을 확장하고 싶었던 것
이다.[52] 다만 이러한 점에서 그 두 프로젝트가 닮은 것은 아니다. 빌라 나타샤의 식당

　　이 미술은 더 큰 공간, 아주 조형적인 공간을 제시하는 장치들을 갖고 있다. 그 점이
　　친밀함의 회화에서 벗어나도록 나를 도와주었다."고 함으로써 장식적인 공간이 어떻
　　게 사적인 회화를 벗어나게 하였는지 자신의 체험을 이야기한다. "Le chemin de la
　　couleur", 1947, in Dominique Fourcade, p.203.
50)　이 벽화는 2010년 로스앤젤레스 주립미술관에 기증되었다.
51)　존 제이코버스, 앙리 마티스, 中央日報社, 1991. 122.
52)　마티스는 그 집 주인인 테리아드에게 "당신들의 식당은 너무 작으므로 내각 확장시
　　킬 거예요."라고 말하였다고 한다. Pierre Schneider, op. cit., p.599.

역시 흑백의 데생으로 덮인 세라믹이 채색 스테인드글라스와 대면하고 있고, 성소에 의해 제기되고 해결된 문제를 식당은 세속적인 용어로 표현하고 있기 때문이다. 펼쳐 놓은 책처럼 벽 모서리에 그린 나무는 〈성모자상〉(도판 12)의 아기 예수를 안고 있는 성모를 대신하는 듯하고, 그 성모상보다 덜 장엄하지도 않다. 슈나이데르는 "그 앞에 서면 사람들이 마로니에나 플라타너스를 생각하기보다 불타는 떨기나무를 생각하게 될 것"[53]이라고 지적한다.

이처럼 공간의 확장은 마티스에게 미학적인 동시에 정신적인 의미를 갖는다. 그는 이미 1940년 아들에게 "나를 둘러싼 벽을 부수고 완전히 자유롭게 노래할 수 있기를 기대한다."[54]고 쓴바 있다. 또한 종이 오리기 작업에서 절정에 달하는 추상적인 공간에 점점 더 열중하면서 그는 "내 위에, 어떤 주제 위에, 화실 위에, 심지어는 집 위에 우주 공간이 있으며 나는 그 속에서 마치 바다 속의 물고기처럼 어떤 벽의 존재도 의식할 수 없다"[55]고 씀으로써 아들에게 피력한 소망이 성취되고 있음을 드러낸다. 이러한 말들을 통해 공간의 확장이란 화가에게 일종의 해방의 감정과 정신의 고양을 의미함을 알 수 있다. 무한한 공간과 한정된 공간의 대비는 팽창/수축, 생명/죽음, 자유/질곡 등의 다수의 서로 다른 성질과 연결될 수 있다. 사랑/증오의 대립항도 여기에 포함시킬 수 있는데, 사랑은 확장시키고 고양시키지만 증오는 수축시키고 낮아지게 하기 때문이다.

III. 나오는 말

마티스는 "색채들과 선들은 힘이고, 이 힘들의 유희와 균형 속에 창조의 비밀이 들어있다"[56]고 함으로써 회화의 임무가 형태를 창조하거나 재생산하는 것이 아니라 보

---

53) *Ibid.*
54) "L'éternel conflit du dessin et de la couleur", 1940-1947, in Dominique Fourcade, p.183.
55) L. Aragon, *op. cit.*, p.259.
56) "Il faut regarder toute la vie avec des yeux d'enfants", 1953, in Dominique

이지 않는 힘을 보이도록 하는 문제임을 밝힌다. 다시 말해 회화는 생성 변화하는 힘에 의해 차이화의 과정을 보여주어야 한다는 것이다. 이러한 맥락에서 그가 "나는 사물들을 그리지 않고, 사물들 간의 차이만 그린다."[57]고 말하면서 사물들의 기호를 탐구하는 것 못지않게 그것들 사이의 차이와 관계를 중요시한다든가, "사물은 그 자체로는 매우 흥미롭지 않다. 사물을 창조하는 것은 바로 환경이다."[58]라는 말을 이해할 수 있다. 이러한 생각은 개별화된 주체성을 벗어나 모든 존재가 서로 생명을 주고받는 유기적인 관계라고 생각하는 일종의 '관계론적 생명관'을 보여주는 것이며, 최근 물리학에서 주장하는 생명 이론과 맞닿아 있다.

장회익은 그의 저서 『생명을 어떻게 이해할까?』에서 "생명체를 구성하는 기본적인 정보가 DNA라는 분자 속에 들어 있다는 유명한 발견이 있은 후 많은 사람들은 우리가 드디어 생명의 정체를 밝혀냈다고 생각했다. 그러나 이 위대한 발견이 기여한 가장 큰 공적은 생명의 정수(精髓)라고 할 만한 그 어떤 것도 유전자 안에 들어 있지 않다는 사실을 보여주었다는 것이다. DNA 분자들은 생명의 정수라고 할 만한 그 무엇도 담고 있지 않을 뿐 아니라 그 자체만으로는 정보의 구실도 하지 못한다. 심지어 어떤 생명체가 죽었다고 우리가 분명히 판정하는 경우에도 그 안에 들어 있는 DNA 분자들은 아무런 손상도 받지 않고 멀쩡하게 남아 있지 않은가?"[59]라고 지적한다.

따라서 그는 "생명의 어떤 본질을 추구하기 위해서는 DNA 분자만을 들여다보아선 안 되며, 또한 DNA 분자가 제외된 세포의 나머지 부분만 들여다보아선 안 된다. 생명의 본질적 특성은 이를 구성하는 각각의 성분 속에서 찾을 것이 아니라 이들이 함께하는 만남 속에서 찾아야 한다."[60]고 주장하며 '온생명' 이론을 펼친다.

우리는 앞서 마티스가 우주적인 생명의 자각을 통하여 자아에 대한 인식론적인 집착을 버리고 자연과 하나가 됨을 깨닫고, 살아 있는 모든 것에서 최상의 행복을 발견

Fourcade, p.323.
57) *Ibid.*, 주17)
58) "Témoinage", 1952, in Dominique Fourcade, p.246.
59) 장회익, 『생명을 어떻게 이해할까?』, 도서출판 한울, 2014, 46.
60) *Ibid.*, pp.42-43.

하는 생명 정신을 갖고 있음을 보았다. 또한 그가 작업 중에 내면의 빛 속에서 신을 느끼며, 사람들을 빛으로 불러내어 기쁘고 당당하게 살아가도록 하는 것이 그의 예술관임을 알게 되었다. 이 모든 것의 바탕에는 일종의 사랑 개념이 자리 잡고 있다. 마티스는 사물들 사이의 관계를 수립하는 것은 사랑이라고 본다. "관계, 그것은 사물들 간의 동족성(parenté)이고 공통언어죠. 관계는 사랑이에요, 사랑이고말고요."[61] 세상을 뜨기 일 년 전에는 "사랑은 모든 창조 행위의 기원"이라고도 말한다.[62]

마티스는 이처럼 탈중심적인 주체성을 가지고 집착 없이 세계를 긍정할 수 있는 자유로운 인간으로서 생명이 다할 때까지 계속해서 작업하고, 성장하고, 변화하고, 의미를 만들어 낸다. 그리하여 죽음에 임박하여도 그의 예술의 경지는 고요하고 초연한 분위기를 자아낸다. 잭 플램은 죽음에 대해 완전히 상반된 태도를 보이는 마티스와 피카소를 다음과 같이 흥미롭게 묘사한다. "마티스는 그의 예술에서 육체적 쇠락을 무시하고, (⋯)위를 응시한 채 죽음의 궁극성을 부정했다. 반면에 피카소는 육체적 타락과 쇠퇴에 점점 더 몰두했다. 그의 그림은 점차 과거에 대한 향수로 가득 찼고, 때로는 심지어 과거 그의 삶에서 너무나 중요한 의미를 띠었던 육욕에 대한 혐오감으로 가득 찼다. (⋯) 피카소는 죽음을 마지막까지 사력을 다해 가두어 놓지 않으면 안 될 적으로 보았다. (⋯) 만약 마티스의 승리가 사실상 용감히 무시함으로써 죽음을 초월하는 것이었다면, 피카소의 승리는 죽음과 쇠락을 똑바로 바라보며 꿈쩍도 하지 않는 것이었다."[63]

프랑스의 철학자 에티엔 질송은 일찍이 "과학자나 철학자의 사라짐은 그들을 대신할 발견이 언젠가는 이루어지지만", "예술작품은 예술가가 우주에 추가하는 새로

---

61) André Verdet, "Entretien avec Henri Matisse", *op. cit.*, p.76. in Dominique Fourcade, p.253.
62) "Il faut regarder toute la vie avec des yeux d'enfants", Propos recueillis par Régine Pernoud, *Le Courrier de l'U.N.E.S.C.O.*, vol. VI, no 10, octobre 1953, in Dominique Fourcade, p.323. "모든 예술작품의 탄생에 수반되는 적나라한 자기 폭로와 관대함, 진실을 향한 부단한 노력을 고취하고 유지하기 위해선 크나큰 사랑이 필요하다. 하지만 사랑은 모든 창조 행위의 기원에 있지 않은가?"
63) 잭 플램, op. cit., p.254 and p.255.

운 실재"이기 때문에 "예술가의 죽음은 세상의 의미가 감소하는 것"이라고 주장한다.[64] 이러한 관점에서, 생명에 관한 문제를 다루지 않더라도, 사실 모든 예술가 한 사람 한 사람이 아주 특별한 의미를 지닌 하나의 고유한 세상이며, 새로운 세계를 보여준다고 생각한다.

주제어(Keyword): 앙리 마티스의 말년 작품(les œuvres tardives d'Henri Matisse), 생명에 대한 표현과 생각(expression et pensée sur la vie), 기호로써의 데생 (dessin de signs), 일원적인 생명의 도약(un élan vital unitaire), 순수한 색채들의 차이와 관계로 이룬 빛(lumière obtenue par les différences et les rapports des couleurs pures), 공간의 확장과 정신의 확장 (l'extension de l'espace et celle de l'esprit), 관계론적 생명관(une vision de la vie relationnelle)

---

64) Etienne Gilson, *Revue de métaphysique et de Morale*, n.23, 1915, pp.253-254. Henri Gouhier, *Étienne Gilson, trois essais: Bergson, La philosophie chrétienne, L'art*, Paris : J. Vrin, 1993. p.77에서 재인용.

참고문헌

김정현, 『니체, 생명과 치유의 철학』, 책세상, 2006

로런스 고윙, 『마티스 : 아름다운 색의 마술사』, 시공아트, 2012

자크 라센느, 『앙리 마티스』, 열화당, 1996

장회익, 『생명을 어떻게 이해할까?』, 도서출판 한울, 2014

잭 플램, 『세기의 우정과 경쟁』, 예경, 2005

존 게이지, 『색채의 역사-미술, 과학 그리고 상징』, 사회평론, 2011

존 제이코버스, 『앙리 마티스』, 中央日報社, 1991

토마스 아 켐피스, 『준주성범』, 가톨릭출판사, 2012

Dominique Fourcade, Henri Matisse, Écrits et propos sur l'art, Paris, Hermann, 1972.

Georges Charbonnier, "Entretien avec Henri Matisse", Le monologue du peintre, Paris, Editions Guy Durier, 1980

Louis Aragon, Henri Matisse : Roman, Paris, Gallimard, 1998.

Pierre Schneider, Matisse, Paris, Flammarion, 1984

Yve-Allain Bois, Matisse and Picasso, London, Thames & Hudson, 2001

Henri Bergson, L'évolution créatrice, Paris, Presses universitaires de France, 1969

Henri Gouhier, Étienne Gilson, trois essais: Bergson, La philosophie chrétienne, L'art, Paris : J. Vrin, 1993.

Expressions de 'la vie' dans les œuvres tardives d'Henri Matisse et ses significations

Kang Young-Jou(Université nationale de Séoul)

Matisse subit une grave intervention chirurgicale à l'âge de 72 ans. Après la récupération, l' artiste qualifiait cette période de "seconde vie". Elle est marquée par un profond renouvellement de son art, caractérisé par un éclatement de couleurs pures et une abstraction tendant toujours plus vers le signe.

Matisse écrit dans une lettre : "J'espère qu'aussi vieux que nous vivrons, nous mourrons jeunes." Dans cette perspective, il tente de montrer l'essence de la vie en observant tous les êtres vivants, et apporte de différentes possibilités à ses oeuvres pour donner plein de vie, jusqu'à la mort. Le but de cet article est de savoir quel est le moyen d'exprimer la vie dans ses œuvres exécutées entre 1941 et 1954, notamment dessin de signes, gouaches découpées, et les travaux pour la chapelle de Vence. Aussi notre étude essaye-t-elle de trouver la signification de ces expressions de la vie et de savoir les conditions qui respirent l'esprit et la vigueur dans ces œuvres.

Pour Matisse, "Les couleurs, les lignes sont des forces, et dans le jeu de ces forces, dans leur équilibre, réside le secret de la création." Ceci dit, le rôle d'une peinture n'est pas à reproduire le visible, mais à rendre visible. En d'autres termes, la peinture doit montrer le processus de différenciation avec la production et l'évolution des forces. Dans ce contexte, nous pouvons comprendre bien quand il dit "Je ne peins pas les choses, je ne peins que les différences entre les choses." ou "L'objet n'est pas tellement intéressant par lui-même. C'est le milieu qui crée l'objet." Ainsi Matisse supprime l'identité personnalisée et manifeste une vision de la vie relationnelle, basée sur une relation organique de tous les êtres, qui peut étroitement se lier aux théories physiques récentes.

Grâce à la vie cosmique, réalisant l'identification avec la nature, Matisse abandonne l'obsession épistémologique de l'égo. De ce fait, il trouve sa joie dans le ciel, dans les arbres, dans les fleurs, dans tout ce qui vit. En outre, il se sent Dieu pendant qu'il travaille dans la lumière intérieure. Et il invite les gens à la lumière de savoir qu'ils seront fiers de vivre avec joie. Voilà sa vision de l'art. La base de tout se trouve une sorte de concept de l'amour. Matisse a vu que l'amour celui qui établit des rapports entre les choses. "Le rapport c'est la parenté entre les choses, c'est le langage commun; le rapport c'est l'amour, oui, l'amour." Il dit aussi un an avant sa mort, "Mais l'amour n'est-il pas à l'origine de toute création?"

Affirmant le monde si positivement sans subjectivité centrée et obsession en tant qu'un être humain libre, Matisse continue de travailler, de faire des progrès, d'évoluer et de créer du sens pour le reste de sa vie. Et même si il est encore proche de la mort, son monde de l'art crée une atmosphère calme et détachée.

바이오아트를 통한 생명개입의 비판

전혜숙(이화여자대학교)

I. 바이오아트, 그 역사와 논쟁의 현장
I-1. 인간의 유전자 개입의 역사

우리는 생명공학 덕분에 요즘에 와서야 유전자조작이라는 개념에 익숙하게 되었지만, 아주 오래전에도 그러한 예는 존재했다. 농사를 짓기 시작한 이후 사람들은 더 많은 수학을 얻기 위해 각종 노력을 기울여 왔으며, 동물들을 야생으로부터 집으로 데려와 사육하기 시작한 이래로 더 좋은 품종을 위해 가축들의 개량을 서슴지 않았다. 이렇게 인간이 동물과 식물에 직접 개입했던 사육재배와 선택적 교배 때문에, 자연과 인간은 일찌감치 '자연스러운(natural)' 관계를 잃어버렸다고 해도 과언이 아니다. 더 과장해 말하자면, "자연과 인간의 관계가 전적으로 자연적이기만 한 적은 한 번도 없었다."[1] 수 천 년 전 중국에서 처음 시행되었다고 알려진 접목기술은 서양에서는 BC.323년 식물학자인 테오파라스토스(Theopharastos)가 농업기술로 시행했다고 기록되어 있고, 신약성서의 로마서[2]에도 그 내용이 들어 있다. 로마서에 기록된 구절에는 접목기술이 단순하게 암시되어 있지만, 그로부터 10세기 정도가 지나면 접목기술은 아주 흔한 재배 기술이 된다. 서로 혼성된 식물 키메라(plant chimera)들은 대부분 인간에 의한 접목기술에 의해 창조된 것들이었다. 19세기에 이러한 농업기술은 일반적인 것이 되어 우리는 장-프랑수아 밀레(Jean François Millet)가 그린 〈나무를 접붙이는 농부(Peasant Grafting a Tree)〉(1855)에서도 볼 수 있다.[3]

혼성적 식물에 대해서도 과거의 예를 찾아볼 수 있는데, 새로운 과일, 식물, 꽃들을 발명한 미국의 원예 육종가 루서 버뱅크(Luther Burbank, 1849-1926)를 들 수 있다. 그는 800여 종에 이르는 새 품종을 만들었다고 알려져 있는데, 그가 사용한 인공적 선택재배방식은 접붙이기, 혼성, 교차재배 등, 실험적이지만 보통 과학자들 혹은 농부들이 통상적으로 사용하는 절차들이었다. 그는 사료를 만들기 위한 가시가 없는 선인장과 플럼콧(plumcot)[4]을 개발하고, 전분이 많아 빵을 굽거나 프렌치 프라이에 적당한 일명 아이다호(Idaho) 감자라고 알려진 버뱅크 감자를 개량했다고 알려져 있다. 그의 방법들은 긴 기간 동안 둘 혹은 그 이상의 유기체들의 유전자를 간접적으로 조작하는 것이어서 오늘날처럼 갑작스럽게 이루어진 것은 아니었지만, 이러한 결과들은 인간이 오랜 세월 동안 미학적이든 실용적이든 특정 목적을 위해 관상용 식물과 애완동물들에 인위적으로 개입했던 것과 똑같은 것이었다. 그 외에 꽃가게에서 흔히 볼

---

1) 진 로버트슨, 크레그 맥다니엘(2009), 『테마 현대미술 노트, 1980년 이후 동시대 미술 읽기 - 무엇을, 왜, 어떻게』, 문혜진 옮김, 두성북스, 2011, p.365
2) '네가 원 돌감람나무에서 찍힘을 받고 본성을 거슬러 좋은 감람나무에 접붙임을 받았으니, 원 가지인 이 사람들이야 얼마나 더 자기 감람나무에 접붙임을 받으랴'(로마서 11장 24절)
3) 예를 들어 17세기에 플로렌스의 한 정원사가 오렌지 나무에 시트론 가지를 접목시켜 만든 '비자리아 오렌지(Bizzaria Orange)' 나무는 일부 가지는 오렌지를, 일부 가지는 시트론 열매를 맺었으며, 번식될 때도 그 속성을 유지하며 유전되었다.: Eduardo Kac, "Art that Looks You in the Eye: Hybrids, Cones, Mutants, Synthetics, and Transgenics," Introduction of *Signs of Life, Bio Art and Beyond*, ed. Eduardo Kac, The MIT Press, 2007, p.6
4) 서양오얏나무(plum)와 살구나무(apricot)를 교배시켜 만든 나무

수 있는 장미 종류들도 개량된 것이 대부분이고, 앵무새 종류인 카탈리나 마코(Catalina macaw)는 조류 사육가가 서로 다른 마코 앵무새를 인위적으로 짝짓기 해 얻은 혼성동물(hybrid animal)로서 원래 자연에 없던 종류의 새이다.[5]

그림 1) 장 프랑수아 밀레, 〈나무를 접붙이는 농부〉 (1855)

사육재배 하에서의 변이(變異)는 찰스 다윈(Charles Darwin)이 『종의 기원』(1859) 제 1장에서 맨 처음으로 다룬 내용이기도 하다. 『종의 기원』은 제목대로 종(種, species)의 '기원'에 대해 쓴 것이 아니라, 무한한 '변이'에 대해 쓴 책이다. '변이'란 같은 부모에게서 태어난 자손들이 습성과 구조가 다를 때 지칭하는 말이다. 그리고 그 결과 생겨난 집단 내의 다양성도 함의하는 용어다. 우리가 흔히 말하는 돌연변이는 말 그대로 변이중에서도 갑작스러운 변이를 말한다.[6] 다윈에 의하면, 사육재배라는 것 자체가 야생상태에서 데려온 동식물에게는 커다란 조건변화였으며, 주로 생식계통에 영향을 끼쳐 생물들의 강한 변이성을 유발했다.[7] 농축산업으로 발전된 인간의 면밀한 개입(사육재배)은 동식물의 변이에 방향성이나 목적을 부여한다는 점에서 특별한 것이었고, 그 결과 '인간의 목적-선택-다양한 품종의 창조'라는 공식을 만들어냈다. "진짜로 야생이라고 부를 수 있는 종류의 자연은 존재하는 모든 생물 중 단 2퍼센트에 불과하다고 추산한다. 그 외의 생물은 인간문화의 산물이다."[8]라는 말은 자연과 인간의 관계에 대

5) Eduardo Kac, "Transgenic Art," Originally Published in *Leonardo Electronic Almanac*, vol.6, N.11, December 1998, n/p/n., from http://www.ekac.org/transgenic.html.
6) 다윈은 1868년 아예 '변이'만을 다룬 주제로 1,150쪽이 넘는 두 권짜리 저서 『사육재배 동식물의 변이』(The Variation of Animals & Plants under Domestication)를 출간하기도 했다.: 박성관, 『종의 기원, 생명의 다양성과 인간 소멸의 자연학』, 그린비, 2010, p.72
7) 앞글, pp.83-84
8) David Kremers, *Wonder/Controversy: An Experimental Book*, Pasadena: Biological Imaging Center, California Institute of Technology, 2003, p.3: 진 로버트슨, 크레그

해 다시 한 번 생각해보게 만든다. 즉 오랜 시간 동안 인간이 개입해 온 선택재배의 역사 속에서 인간과 자연의 관계는 이미 자연스러운 것이 아니었다는 것이다.

I-2. 바이오아트

21세기로 들어서면서 가장 화두가 된 단어는 아마도 '바이오(bio)'일 것이다. 20세기말 우리의 삶을 획기적으로 변화시킨 것이 디지털 기술과 관계된 것들이었다면, 현재 우리의 삶에 가장 밀접하게 연관되고 있는 개념들은 생명을 의미하는 바이오가 접두어로 붙은 수많은 단어들이다. 1990년대부터 본격적으로 시작된 바이오아트 또한 'art'에 'bio'가 붙은 단어로, '생명 그 자체로서의 미술(art as life itself)'을 말한다.

바이오아트는 과학자들과 똑같이 살아있는 유기물(박테리아와 세포, 분자, 식물, 체액, 조직을 비롯해 살아있는 동물까지)로 작업을 하는 미술가들의 작품을 일컫는다. 바이오아티스트들은 살아있는 바이오아트를 전시할 때 발생하는 제도적, 기술적 문제들에도 불구하고, 관람자들에게 '살아있는' 상태로서 실제의 생물학적 과정을 보여주기 위해 작품의 유기체적 타당성을 유지하는 데 주의를 기울이곤 한다. 그렇기 때문에 기술적으로나 사회문화적으로나 바이오아트는 생명공학기술과 깊은 연관성을 지닌다. 지난 20-30여 년 전부터 본격적으로 우리의 삶에 들어온 생명공학은 이제 누구에게나 익숙한 것이 되어, 이중으로 꼬인 DNA구조를 포함한 염색체의 이미지들은 그것들이 생물학적 구성체임에도 불구하고 우리의 문화에 자주 등장하는 수퍼 이미지가 되어버렸다. 유전자혁명은 그동안 인간의 신체 이해에 있어서 풀리지 않던 수수께끼들을 해결해주었을 뿐 아니라, DNA를 인간 이해를 위한 새로운 상징적, 은유적 의미를 지닌 문화적 도상(icon)으로 만들게 된 것이다.

살아있는 생명체를 매체로 사용하기 때문에 끊임없이 논란의 대상이 되고 있는 바이오아트는 생명기술에 대해 긍정적인 입장을 나타내기도 하지만, 부정적인 입장에서 비판적 견해를 보이기도 한다. 그러나 바이오아티스트들이 어떤 입장을 지니든, 논쟁의 여지가 있는 대상을 만들 목적 아래 살아있는 유기체를 사용하는 기술을 이용한다는 점에서는 공통점을 지닌다. 이렇게 살아있는 생명체를 매체로 사용함으로

맥다니엘(2009)에서 인용.

써 이전의 미술과 혁신적인 단절을 보이는 바이오아티스트들의 방식은 시작부터 현 시점에 이르기까지 미학적, 기술적, 윤리적인 모든 관점에서 유전공학에 내재해 온 여러 문제들을 공유해왔다. 구체적으로 말하자면, 그것이 정말 미술인가? 거기에서 미술이 되기 위한, 미술로서의 요소는 과연 무엇인가? 그들은 미술가인가 아니면 과학자인가? 또 미술로 제시된 생명 그 자체에 대해 미술가들과 관람자들은 어떤 책임감 혹은 의무를 갖는가? 등등의 문제들이다.

바이오아트에 대한 연구는 그 배경 및 현황과 작품들을 분석함으로써 오늘날 정보과학과 생명공학의 영향 아래 받아들여야 하는 새로운 인간 조건의 한 면을 미술을 통해 읽어낼 뿐 아니라, 생명을 다루는 그것의 미술 방식에 내재해 있는 윤리 문제까지 다루곤 한다. 그런데 우리가 현 시대에 당면하고 있는 인간의 조건들, 즉 디지털 매체의 발달과 시공간 이해의 변화, 인간과 동물, 유기체와 기계, 물질과 비물질의 경계 흐림 등은 더 이상 인간을 이성과 정신을 바탕으로 한 근대적 인간주체로 이해하기 힘들게 만들고 있으며, 끊임없이 새로운 인간이해로의 이행을 촉구하고 있다. 주체성, 신체성, 미디어의 관점에서 바라볼 수 있는 새로운 인간이해는 근대적 의미의 휴머니즘을 보완하는 포스트휴머니즘이라고 해도 좋을 것이다. 현대미술의 맥락 속에서 바이오아트가 어떻게 작동하고 있으며, 그것이 지닌 문제들이 무엇인가를 포착하는 데는 이러한 관점이 작용한다. 바이오아트는 현 시대를 대변하는 가장 최첨단의 미술형태이며, 생명자체를 다룬다는 점에서 미적인 것의 창출을 넘어서는 다양한 의미를 생산하고 있다. 그러므로 바이오아티스트들은 과학적 실험, 미학적 문제, 비평의 논리, 윤리적 판단, 객체로서의 생명체가 지닌 존재적 갈등과 관련된 다양한 양상의 문제를 제기하며, 그 작업과정과 결과를 둘러싼 긍정과 비판의 극단적인 반응 속에서 지금 이 시대에 미술을 통해 말할 수 있는 가장 전위적인 문제들을 우리에게 던지고 있다. 이 글에서는 윤리적 문제에 대한 어떤 입장을 제시한다기보다, 현시대의 인간과 예술이 당면한 긴박한 변화를 읽어가면서 바이오아트의 현황을 탐색하고 그것들이 만들어내는 다양한 문제들을 드러냄으로써 바이오아트에 대한 객관적인 분석을 시도하고자 한다.

II. DNA에 대한 믿음과 유전자조작

유전자시대에 현대미술 및 현대 미술가들이 이른 바 분자적 시선(the Molecular gaze)을 갖는 것은 당연한 일일 것이다. 소위 과학-미술가(Sci-artist)들의 이러한 분자적 시선은 이제까지 존재해 온 미술과 과학의 연관성, 미술과 기술의 관계를 넘어서 매우 독특한 상상력과 아이디어로 이끌고 있다. 우리가 미술의 역사를 통해 경험해왔듯이, 미술가들의 시선은 인간과 인간을 둘러싸고 있는 사회의 문제들에 대한 통찰력을 지닌다. 바이오아트도 마찬가지여서 미술가들의 시선은 과학 혹은 익명의 과학자들이 스스로 언급할 통로가 없어 결국은 은폐되고 마는 사회적, 윤리적 문제들에 대한 통찰력을 보여주고 있다. 미술가들이 '분자적 시선'을 가지고 다루는 구체적인 문제들, 즉 생명체의 복제 및 재생산의 윤리적 입장, 신체변형과 경계 흐림에 대한 인문학적 배경과 사회적 파급, 세포와 유전자의 상품화가 가져오게 될 위험성과 폐단에 대한 비판 등은 과학자들이 말하지 않거나 말할 수 없는 것들이다. 미술가들이 바이오아트를 통해 이슈화한 다양한 문제들은 궁극적으로 우리 인간의 '인간됨', 정체성 설정, 의학과 기술의 사회적 영향력에 대한 수용 방식을 숙고하게 만들고 있다.

II-1. DNA, 부정할 수 없는 운명의 청사진인가

유전자(gene)라고 불리우는 DNA의 특정하고 신중한 시퀀스들은 단백질의 구성을 특정하게 만들고 살아있는 조직과 세포의 형성을 촉진시키게 될 정보를 나르게 되는데, 상징적이고 은유적인 연상(의미)들에 의하면, 유전자들은 개개인의 정체성, 즉 자아의 본질을 결정하는 운명의 결정론자이기도 하다. DNA는 인간 존재를 궁극적으로 설명해줄 수 있는 것, 운명의 청사진, 더 나아가 생명의 비밀이라는 의미를 갖게 되는 것이다. 인간의 단백질과 DNA서열을 모두 분석하여 인간 게놈(genome)의 비밀을 밝히려한 휴먼게놈프로젝트(HGP)는 인간 존재를 새롭게 설명해줄 유전자에 대한 믿음을 더욱 확고하게 만들었다. 유전자와 염색체의 합성어로 유전정보의 총합을 뜻하는 게놈은 '한 세포가 자기 안에 갖고 있다가 후세에 전달하게 되는 DNA 전체'의 의미로도 통한다. 이러한 맥락에서 볼 때, 유전자정보에 대한 믿음이 대중적 상식 정도로 보편화된 것도 당연한 일이라 할 수 있다.

그러나 DNA의 역할에 대한 맹신과 유전자 결정주의는 우리 사회에서 충분히 오용될 수 있는 부정적인 측면을 갖고 있다. 많은 바이오아티스트들이 생명의 통제 및 권력과 관련해 폭로하려는 내러티브 중 하나는, 'DNA는 인간의 모든 것을 설명한다.'는 명제 아래, '생명을 코드화된 프로그램으로 환원함으로써 그것을 통제의 수단으로 사용한다.'는 이데올로기이다. 이러한 생각은 우선 휴먼 게놈 프로젝트의 성공적 수행에 대한 과도한 신뢰를 반영하고 있으며, 생물학을 정보로 전락시키는 특징을 지닌다. 1990년대 휴먼 게놈 프로젝트는 "우리의 DNA를 읽으면 생물학의 '성배(聖杯)라고 할 수 있는 생명의 '청사진'을 드러낼 수 있을 것"이라는 말로 휴먼게놈의 시퀀싱과 매핑에 수사학적 의미를 부여했다.[9] 그러한 수사학에 대해서는 논쟁과 반박도 있었으나, 일부에서는 DNA에 대한 믿음에 따라 범죄수사에 DNA지문이 사용되고 있으며, 유전자검사를 통한 유전병 태아감별과 심지어는 우생학적 목적으로 사용될 우려를 낳고 있다.

과연 사람은 그의 유전자의 총합인가? 자아는 단순히 그것의 생물학적 부분들의 총합인가? 미술가들은 개인의 정체성을 가장 잘 드러낼 수 있는 요소로서의 DNA에 대한 논쟁을 미술 영역으로 끌어들였다. 이러한 작품들에는 생물학적 실험방식을 사용하는 진지함과 DNA에 대한 믿음, 그리고 그것을 시각적으로 나타내려는 미술가로서의 노력이 함께 존재하지만, 한편으로는 그와 반대로 미국 미술가 폴 버나우즈(Paul Vanouse)의 작품에서처럼 DNA를 맹신하는 풍조에 대해 비판하는 경우도 있다. 버나우즈의 2002년의 설치작품 〈속도비교측정장치(The Relative Velocity Inscription Device)〉와 2007년의 설치 퍼포먼스인 〈잠재적 수치 의정서(The Latent Figure Protocol)〉는 인간 사회에서 벌어지는 사회적 현상과 행동이 각 개인의 생물학적 특성인 유전자에 의해 결정된다고 믿는 생물학결정론을 정면 비판한다. 이를 위해 그는 실제 과학실험을 통해 DNA 지문(DNA fingerprinting)을 둘러싸고 형성된 인종적 편견의 암시들을 고발한다. DNA 지문이란 1985년 영국의 유전학자인 알렉 제프리(Alec Jeffrey)가 만든 용어로, 전체 DNA를 다 분석하지 않아도 개인마다 다른 특징을 나타내는 부위만 있으면 각 개인의 DNA 구별이 가능하다는 점을 이용한다. 이렇게 개인마다 다른 특징을 나타

9) Oron Catts and Ionat Zurr, "The Ethics of Experimental Engagement with the manipulation of Life", in eds. Beatriz da Costa and Kavita Philip, *Tactical Biopolitics, Art, Activism, and Technoscience*, (MIT Press, 2008), 125-142

내는 DNA 특정 부위를 DNA 지문이라고 부르며, 친자소송이나 범죄해결에 사용되곤 한다.

버나우즈는 DNA를 통해 주어지는 유전적 운명이라는 개념에 도전하면서, DNA가 신체적 외양을 결정지을 뿐 아니라 우리가 살고 있는 사회에서 어떤 목적과 특수 관계를 결정지을 수 있다는 일반적인 상식을 부정했다. 그가 예로 들고 있는 것은 19세기 내내 인종차별적이고 우생학적인 성향의 과학의 도구가 되어 온 유추들이다. 그는 제국주의의 정복전쟁에서 아프리카인들을 동물에 비유하거나, 두개골이나 두뇌의 크기를 가지고 인종차별적일 뿐 아니라 여성차별적인 결론까지도 서슴지 않았던 과학의 비유들을 비판한다.10) 또한 DNA 지문이 일종의 '부정할 수 없는 과학적 증거'로서 범죄 해결이나 친자소송을 해결하는 데 쓰이는 것을 넘어서 흑인에 대한 인종편견의 근원이 되는 것을 고발하기 위해 화랑이라는 공적인 전시영역에서 논쟁을 촉발시켰다. 그것은 휴먼게놈 프로젝트를 둘러싼 집단적, 사회적 이해에 대한 비판임과 동시에 DNA의 권위를 완화시키는 것이었으며, 결정론적 유전자학을 받아들이는 정치사회정책에 대한 비판 및 사회가 개인을 통제하기 위해 발현하는 권력이나 정치학에 대한 반발로도 볼 수 있다.

버나우즈는 미국의 학자인 찰스 B. 대븐포트(Charles B. Davenport)가 쓴『자마이카의 인종혼혈(Race Crossing in Jamaica)』(1929)을 비판하기 위해 유전자를 이용한 실험을 계획했다. 대븐포트는 이 책에서 자세한 기록과 방법론을 동원해 흑백혼혈이 궁극적으로는 열성(劣性)을 만들어낸다고 주장함으로써, 이미 수용된 혼혈강세이론에 오류가 있음을 증명하려 했다. 버나우즈는 마침 자신의 가계(家系)에 자마이카 후손의 흑/백 혼혈이 포함된 사실을 이용해, 그의 가족들의 DNA를 추출한 실험을 하기로 한다.

우선 의사인 아모스 데어가 채혈한 그의 가족의 혈액 샘플로부터 역시 의사들인 켈리 오웬스와 매리-클레어 킹이 DNA를 추출해냈다. 그리고 나서 이들은 가족 구성원들의 DNA 중에서도 피부색에 영향을 준다고 생각되는 특정 유전자를 증폭시켰다. 유전자 증폭이란 어떤 세포에서 특정한 형질발현을 활발히 하기 위해 그 형질을

생명

10) Paul Vanouse, "Discovering Nature, apparently: Analogy, DNA Imaging, and the latent Figure Protocol," in *Tactical Biopolitics, Art, Activism and Technoscience*, (ed.) Beatrice da Costa and Kavita Philip, MIT Press, 2008, p. 189.

지배하는 유전자 또는 유전자군을 포함하는 염색체부분을 특이적으로 복제, 반복해 그 수를 증가하는 것을 말한다. 일반적으로 사람들이 인종구분을 위해 그룹의 외적인 특징인 피부색을 가장 전형적인 경계기호로 사용하기 때문이다. 증폭된 유전자들은 오웬스가 발명한 효소로 다시 분리되어, 생체분자를 분리할 때 사

그림 2) 폴 버나우즈, 〈속도비교측정장치〉,
전기영동법을 실행하고 있는 모습, 2002

용하는 겔 전기영동법(gel electrophoresis)의 과정을 거치게 한다. 전기영동법은 DNA 조각들을 분석하는 데 일반적으로 사용되는 실험방식이다. 주로 생체분자를 분리하는 데 사용된다. 가족 멤버의 DNA들이 전기적으로 극화(極化)된 젤라틴을 통과해 움직이는 속도(경주, race)를 식별하기 위해서다.

결론적으로 말하자면 DNA들의 속도는 어떤 혈통(피부색)과 전혀 상관없다. 단지 DNA 조각의 분자 크기에 따라 더 빨리 혹은 더 천천히 움직일 뿐이다. 사실 이 장치는 일종의 '유전자 경주(genetic horserace)'를 통해 관람자들이 일종의 긴장감을 갖고 주시하도록 고안되었다. 관람자들이 피부색에 의해 분류된 DNA들의 경주를 보면서 자신의 인종적 정체성의 의미로 받아들일 수도 있기 때문이다. 버나우즈는 'race'란 단어를 '인종'과 '경주'의 두 가지 의미로 사용하고 있다. 인종에 대한 유전적 편견을 DNA '경주'라는 실험의 결과로 풍자한 이 작품은, 미술가가 아마추어 실험가로서 과학자나 의사의 도움을 받는 소극적인 태도에서 더 나아가, 이전에 없던 실험 장치를 만들고 실험에 있어서도 창조력을 발휘하고 있다는 점에서 더욱 주목해볼 만한 하다. 이렇게 버나우즈는 난해하고 과학적인 기호들을 풀어내 일반적인 문화 언어로 '말하게 함으로써' 인종과 정체성에 관한 편견을 흔들어버린다.11)

2007년의 설치 퍼포먼스인 〈잠재적 수치 의정서(The Latent Figure Protocol)〉에서도

11) Vanouse (2008), 178

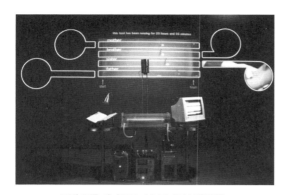

그림 ③ 폴 버나우즈, 〈속도비교측정장치〉,
2002, 달리기 속도비교로 표시된 모습

버나우즈는 위의 작품과 유사한 방식으로 DNA 지문(DNA fingerprinting)을 둘러싸고 형성된 편견과 암시들을 비판했다. 이 프로젝트는 DNA 지문을 '부정할 수 없는 과학적 증거'가 아닌 '고도로 코드화된 문화적 재현'의 위치로 옮기고 그것을 공적인 전시영역에서 논쟁화하는 것이 목적이었다.

이 작품 역시 실제 과학실험을 통해 이루어졌는데, 버나우즈가 특별하게 택한 효소로 잘라 알아보기 쉽고 크기도 알맞은 DNA 염기서열을 겔 전기영동장치에 넣고 그 패턴이 식별되도록 하는 1시간가량의 퍼포먼스 형태로 진행되었다. 겔이 들어 있는 12~16개의 레인에 전류가 흐르게 하면 DNA 시퀀스들은 각기 다른 속도로 움직이게 된다. 이러한 이미지들은 DNA 기증자(사람, 식물, 동물..혹은 어떤 조합이든)에 따라 달라진다. 작품의 목적은 DNA 지문의 과학적 권위를 강등시켜 초상화 정도로 끌어내리는 것이다. 여기서 버나우즈가 말하는 '초상화'는 (DNA와 같은) 과학적 권위와는 거의 상관없이 주체의 사회적 지위, 부 등과 관련되거나 사회적 권위에 관련해 예술적 재현이 결정되는 것을 의미한다(Vanouse, 2008: 179). 버나우즈는 이러한 작품들에서 유전적 운명이라는 개념에 도전한다. 이는 DNA가 신체적 외양을 결정지을 뿐 아니라 우리가 살고 있는 사회에서 어떤 목적과 특수 관계를 결정지을 수 있다는 일반적인 상식에 대한 부정이었다.

많은 사람들이 현대의 생명과학을 생각할 때 주로 유전자학과 분자생물학에만 초점을 맞추기 때문에 유전자혁명이라는 이름 아래 생명 권력이 개입될 수 있는 여지를 주었다. 설상가상으로 분자생물학에 의해 밝혀진 DNA라는 정보화된 지식체계는 생물학적 지식을 사이버네틱스 및 정보이론 혹은 디지털혁명과 유사한 방식으로 이해하도록 만들었으며, 디지털 시대의 메타포를 생명과학에 적용함으로써 기존의 권력적 역동성을 재 강화했을 뿐 아니라, 이른바 '닷컴(.com)' 붐의 성공적인 메타포를 생물학과 디지털혁명의 상호작용으로 확장시켰다. 그러나 IT/사이버네틱스/소프트웨어/하드웨어 등과 관련된 단기간의 경제적 연관성과는 달리 그것들이 살아있는 존재들에 적용될 때는 조금 다르게 작용함에도 불구하고 섣부른 유토피아를 기대하는 우를 범하게 된다. 게놈 프로젝트를 통한 지식에 의한 생명연장과 질병퇴치 같은 약속된 유토피아적 시나리오는 단시간에 실현될 수 없다. 이는 분자생물학의 발전에 대한 폄하가 아니라, 'We are our DNA'라고 생각하는 DNA마니아들의 생각 혹은 유전자 과대선전에 의해 과장된 유전학의 발전을 IT분야 혹은 디지털 기술의 발전과 유사한 방식으로 보는 태도에 대한 우려다. DNA는 세포의 문맥 밖에서 작용하지 않으며, 우리 각각은 우리의 DNA 이상의 것을 물려받았음을 상기할 필요가 있다.[12] 결국 DNA의 의미를 지나치게 문화적으로 확장하는 것은 재고되어야 할 부분이다.

II-2. 유전자 조작의 이면

II-2-1. 도덕적 책임을 묻는 돌연변이 생명체

오스트레일리아의 여성미술가 파트리샤 피키니니(Patricia Piccinini)는 조각, 사진, 비디오설치를 통해 유전자 조작과 복제 등 생명기술에 의해 인공적으로 창조된 돌연변이 생명체를 상상을 통해 구현함으로써, "신체가 기술에 의해 폐지되거나(unmade) 재구성되는(remade) 것의 의미, 그러한 일을 둘러싸고 발생하는 선택, 책임, 윤리적인 문제들"[13]을 논쟁적으로 표면화시키고 있다. 물론 피키니니는 막연히 상상을 통해 작품을 제작하고 문제제기를 하는 것은 아니다. 그녀는 오스트레일리아의 멸종 위기 동물 혹은 식물을 구하기 위한 환경 정책과 관련해 실제 있었던 일에서 주로 영감을 얻어, 있을 법한 가까운 미래의 문맥에서 새로운 인공적 생명 형태를 고안해 낸다. 실리콘, 아크릴릭, 합성수지, 고무를 재료로 놀랄 만큼 살아있는 사람의 피부, 눈, 귀, 손가락과 똑같이 제작된 그녀의 작품들은 세밀한 묘사와 완성도 높은 극사실주의(Hyperrealism)를 따르고 있어, 관람자들은 충격적인 형태에 당혹스러운 만큼이나

---

12) Oron Catts and Ionat Zurr (2008), 126
13) Rachel Kent, "Nature is as Nature does: Patricia Piccinini's Super-natural Creations", *Patricia Piccinini, Nature's Little Helpers*, Exhibition Catalogue of Robert Miller Gallery, New York, 22 October-30 November, 2005, np.

그림 4) 파트리샤 피키니니, 〈신생아〉, 2005

새로운 생물체들에 매혹 당한다. 《Transformation》전에 출품되어 큰 충격을 불러일으킨 작품으로, 혼성물 혹은 돌연변이로 태어난 아기 〈신생아(Newborn)〉(2010)의 경우도 마찬가지다. "구현된 혹은 구현될지도 모르는 현존에 대한 도덕적 상태를 의문시하는"(Elaine Graham, 2002: 176) 그녀의 작품들에는 사실과 허구 그리고 판타지가 공존하지만, 오히려 그러한 방식을 통해 선택과 책임이라는 윤리적 문제를 강화하려고 하고 있다. 이러한 사실은 우리가 그녀의 작품을 보고 느끼는 시각적 충격이 어느 정도 사라진 후에 만나게 되는 또 다른 느낌, 즉 그러한 피조물들에 대한 따뜻한 시선과 걱정과 측은함을 통해 강화된다. 이는 인간이 아닌, 그것도 어떤 목적에 의해 괴물로 태어난 피조물들을 껴안고 받아들여야 하는, 인간이 져야 할 도덕적 책임과도 연관되는 것이다.

그녀는 이러한 생물체를 통해 환경을 위해 좋은 일을 한 것 같으나 결국 그렇지 못한 결과(Wrong things for the right reason)가 된 일에 대해 말하려 한다. 그녀는 "일단 만들어지고 나면 쉽게 없었던 일이 되지 않는다. 없었던 일로 하는 것은 쉬운 일이 아니다. 나중에 '그러지 말았어야 했는데' 라고 깨달을 수도 있다. 마치 계란처럼 한 번 깨지면 돌이킬 수 없다. 이것은 유전자 수정을 통해 만들어진 생명체에도 똑같이 적용된다. 내 작품은 이러한 우려로부터 나온 것이다."14)라고 설명하면서, 그것들이 어떤 궁극적인 이유로 만들어졌든 간에, 그것들이 임무 완수를 한 후 지구 생태계의 일부가 된 후에는 누가 그것들을 위해 돌보고 책임질 것인가를 묻는다.

피키니니의 작품들은 대개 현실과 허구를 섞은 이야기를 다루는 바이오토픽(biotopic) 바이오아트다. 그것들은 대부분 정부 주도 하에 지구환경을 위하는 어떤 선한 목적을 위해 만들어졌으나 임무를 끝내고 지구 생태계의 일부가 된 후에는 결국

---

14) Patricia Piccinini, "Nature's Little Helpers", *Patricia Piccinini, Nature's Little Helpers*, Exhibition Catalogue of Robert Miller Gallery, New York, 22 October-30 November, 2005, np.

골칫거리가 되어버린 존재들을 말한다. 우리는 피키니니의 허구적 이야기 안에서 유전공학과 관련된 디스토피아적 관점의 근거를 다시 한 번 발견할 수 있다. 그것은 국가 및 그에 준하는 기관이 아무리 선한 의도를 갖고 시행했다 하더라도 생명을 주관하고 통제하는 이데올로기 안에는 늘 부정적인 결과를 초래할지도 모르는 권력의 모순이 존재한다는 것이다.

II-2-2. 가시를 잃은 선인장 보호하기

유전공학의 결과에 대한 비판적 시선을 지닌 미술들은 대부분 인간의 이익을 목적으로 합리화되고 있는 유전자 조작의 이면을 파헤치고 드러내는 전략을 사용한다. 미국 캘리포니아에서 활동 중인 (Amy Youngs)는 살아있는 존재들의 운명을 좌우하는 인간의 선택적 재배를 인간이 다른 존재들에 권력을 남용하는 것이라고 비난한다. 좋은 종자를 얻기 위해 동물의 생/사를 결정하는 잔인한 방식을 경험했던 그녀는, 살아있는 존재의 체계 안에서 기술과 예술의 상호작용을 계속 연구하되, 인간과 비인간적 존재, 인간과 자연의 관계 속에서 인간이 다른 존재들에 권력을 남용하는 예를 비판하는데 초점을 맞추고 있다. "인간의 능력을 점점 더 향상되어 이 세계를 micro, macro하게 지각할 수 있게 되었다. 그래서 그것을 철저히 파헤쳐 과거의 생태학적 실수를 치료하고자 한다. 기술이 자연을 파괴하고 동시에 드러내며 고치고 개혁할 수 있다는 것이 모순임을 내 작품에서 드러내고자 한다."15)라고 말하는 영스는 바이오 아티스트들의 실행방식과 반대되는 역(逆)의 과정을 통해 인간이 유전자 조작, 선택재배를 통해 자연에 준 해(害)를 치료하는 상징적 설치를 하게 된다. 그것은 고통 받은 자연에 대한 보상으로 기술을 치료와 복구의 수단으로 사용한 것이었다.

예를 들어 〈가시 없는 부채선인장을 재무장하기(Rearming the Spineless Opuntia)〉(1999)란 설치작품은, 인간과 다른 동물로부터 자신을 보호할 수 있는 유일한 무기인 가시를 제거당한 부채선인장이 주인공이다. 인간이 가축 사료로 사용하기 위해 유전자 조작을 통해 가시를 없앤 것이다. 그녀는 이 선인장을 위해 가시 대신 몸통을 보호할 수 있는 장비를 제공해주었다. 가시를 잃어버린 혼성 식물로서의 작은

---

15) A.M.Youngs, "Art Statement," http://www.ylem.org/artist/ayoungs/statement.html

그림 5) 에이미 영스, 〈가시 없는 부채선인장을 재무장하기〉, 1999

선인장은 받침대 꼭대기에 놓여 있고, 양쪽에는 가시가 박힌 두 개의 커다란 동판 껍데기를 붙여 센서에 의해 움직이도록 했다. 그 메커니즘은 방문자들이 다가오면 껍데기들이 닫혀서 선인장을 보호하고, 관람자가 떠나면 다시 열리는 완벽한 제2의 껍질역할을 하는 것이었다. 유전자 조작된 식물을 가져와 이용하지만, 식물들을 유전자적차원에서 다루지 않으면서, 인간의 조작으로부터 다시 회복시키고 본래의 기능과 생존 방식을 되찾게 하는 것이 그녀의 목적이었다.

　　바이오아티스트들은 유전공학에 대해 긍정적인 입장을 갖든 부정적인 입장을 지니든, 공통적으로 미술과 자연, 인간과 자연을 분리해서 바라보는 이원론적 관점들로부터 탈피하여, 두 영역의 경계를 둔화시키는 탈이분법적이고 생태학적인 관점을 갖고 있다. 이것은 아마도 철학적, 문화적 의미의 변화라는 문맥 안에서 자연과 인간의관계를 숙고해야하는 바이오아트의 필수조건일 것이다. 데카르트적 의식철학의 배경 아래 근대적 주체에 대한 이해에 영향을 준 정신/물질, 인간/자연, 인간/비인간 등의 인간중심적(Anthropocentric) 이분법적 이해는 20세기의 철학들을 통해 이미 무효화되는 과정을 겪었으나, 미술에서는 바이오아트와 포스트휴먼적 신체변형미술을 통해 그 경계와 비연속성을 벗어날 수 있는 확실한 가능성을 얻게 되었다. 자연이 인간에 속해있다는 인간중심적 전통사고는 이제 인간이 자연에 속해있다는 반대적 의미의 생태학적 사고방식으로 전환되고 있다. 바이오아트는 '자연스러움'을 고집하기보다는, 선하게든 악하게든 생명을 조작할 수 있게 된 인간의 능력과 그로 인해 발생하는 문제들을 직시하는데 초점을 맞추고 있다. 모든 생명의 본래적 가치에 대한 인정, 그것이 생명을 매체로 다루는 바이오아트가 고집해야 할 태도인 것이다.

III. 디스토피아의 근거로서 생명권력과 생명개입
III-1. 살게 만들거나 죽게 내버려두는 권력

인간은 생명을 조작하고 생명에 개입할 수 있는 기술적 단계에 이미 도달해 있다. 인간의 생명개념에 대한 이해를 재구성해야할 정도다. 문제는 이미 국가가 발전시키고 동시에 통제해 온 유전자 기술과 조직배양기술 등이 한편으로는 소위 공익과 유용성을 표방하는 국가적 이데올로기로 발전된다는 사실과, 다른 한편으로는 바이오산업으로 이어져 자본주의의 논리와 만나게 된다는 것이다. 일부 바이오아티스트들은 생명의 문제에 권력과 자본이 개입할 때 발생하는 갈등을 다루고 논쟁을 증폭시킬 목적으로 바이오기술 자체를 미술영역 안으로 들여와 실행한다. 이러한 아이러니(irony) 방식은 그들의 작업이 생명기술이 지닌 유토피아적이면서도 디스토피아적 관점을 둘 다 수용하면서 그 경계를 해체하는 데 목적이 있음을 말해준다.

미셸 푸코는 『광기의 역사』와 『임상의학의 탄생, 의학적 지식의 고고학』에서 권력과 지식의 상관관계를 말하면서, 광기를 관찰하고 통제하는 힘은 정신의학으로, 앎의 시선 곧 환자를 관찰하는 '의학적 시선'의 힘은 근대 공중보건의학으로 발전되었다고 보았다.[16] 푸코 식으로 본다면 정신의학과 공중보건의학은 모두 사람의 생명에 관여하는 지식으로서의 앎의 권력 즉 생명권력(bio-power)이다. 생명을 대상과 목표로 삼고 있는 생명권력은 인간 전체, 국민 전체를 생물학적으로 통제하려는 권력적 야심을 의미한다. 푸코에 따르면 생명권력은 인간의 육체를 감시하고 규제하는 앎-권력의 지배구조인 규율권력과 거의 비슷한 시기에 혹은 뒤이어 대두한 새로운 권력이다. 과거의 삶과 죽음에 대한 주권자의 권한은 생명에 대해 '죽게 만들거나(faire mourir)

---

16) 미셸 푸코, 『광기의 역사』, 이규현 옮김 (나남출판, 2003), 738-756; 미셸 푸코, 『임상의학의 탄생, 의학적 지식의 고고학』, 홍성민 옮김 (이매진, 2006), 107-117.

살게 내버려두는(laisser vivre)' 권력이었다. 이때 생명은 자연적으로 주어진 것으로, 주권자는 생명을 가진 신민들을 죽음에 대한 위협을 통해 복종시키는데, 이는 칼로 상징된다. 반면 푸코가 제시한 근대의 생명권력은 '살게 만들거나(faire vivre) 죽음 속으로 쫓아내는(rejeter dans la mort) 혹은 살게 만들고 죽게 내버려두는' 권한으로 표현된다.[17] 즉 그것은 '살기'가 자연적으로 주어진 생명으로서 내버려두는 대상이 아니라 '만들기'의 대상으로, 다시 말해 권력이 관여하고 조절하며 증대시켜야하는 대상으로 바뀌었음을 말해준다. 푸코는 18세기말에서 19세기 초에 발생한 '살게 만드는' 권력으로의 이행을 통해 근대 의학의 성립과 자본주의 발전의 필수요소를 발견한다. 생명권력은 복지국가 혹은 민족사회국가의 전개과정을 해명하기 위한 개념장치로 기능하면서, 생명을 과대평가하고 수명을 연장하며, 생명의 기회를 늘리고 생명에 가해질 수 있는 사고를 방지하거나 그 손실을 보상하는 것을 목표로 삼는다. 그럼으로써 개인이 아닌 종(種)으로서의 인구를 조절하고 생명 가운데 누구를 살리고 누구를 죽게 할 것인가를 결정하는 권한을 갖는다.[18] 1995년 출간된 아감벤의『호모 사케르(Homo Sacer)』는 푸코의 개념을 독창적으로 활용하면서 생명권력이 서구 정치구조 속에 항상 이미 함축되어 있었다고 주장하면서 새삼 주목을 끌게 된 푸코의 생명권력 개념은 후기 푸코 사상의 주요원천으로 이해되고 있다.

국가 주도 하에 생명기술 산업이 발전하고 있는 20세기말과 21세기는 '생명권력'이 극도로 강화된 시기이다. 푸코에 의하면 생명권력은 다음과 같이 유기적인 방식으로 작용한다. 첫째, 생물학적 과정에 당연히 따르는 우연성-예를 들면 생명의 재생산 과정에서 발생될 수 있는 어떤 이상, 변이, 장애, 결함들-을 통제한다. 둘째, 생명의 영역 안에 어떤 단절을 도입하여 죽일 것과 살릴 것을 정하거나 혹은 생명에서 어떤 목표치를 정하여 이를 실현하기 위해 작위적으로 개입한다. 여기에는 유전적 문제가 있다는 판단에 따른 낙태를 허용한다거나 인구증가율을 통제하는 것 등이 포함된다. 셋째, 종으로서의 인간 전체 혹은 국민전체를 생물학적으로 조절하기 위해 진화

---

17) 진태원,「생명정치의 탄생 – 미셸 푸코와 생명권력의 문제」,『문학과 사회』, 19권 3호 (2006): 219-220.
18) 진태원,「생명정치의 탄생」, 221.

론에 입각한 우생학적 인종주의를 발현한다.[19] 생명에 관한 다양한 기술의 발전이 수위를 넘고 유전자 재조합으로 인해 새로운 생명체를 만들어낼 수 있는 지금 시대에, 생명을 앞세운 권력은 소위 인간에게 최고로 적합한 유토피아 사회를 만든다는 목적 아래 강력한 힘으로 작용할 수 있는 것이다.

III-2. '돌봄'의 미학에 내재한 생명개입의 아이러니

생명기술에 대해 객관적 태도를 유지하는 바이오아티스트들은 과잉될 경우 이 사회를 디스토피아로 전락시킬 수 있는 생명권력의 작동장치들을 스스로 탐구하고 거기에 내재해 있을 모순 혹은 불합리를 경고하면서 생명윤리의 문제를 제시한다. 이들은 자신들의 '젖은 작업(wet hands)'을 통해 생물학과 관련해 만연해 있는 몇 가지 내러티브 혹은 국가권력과 바이오산업이 표방하는 생명개입의 이데올로기를 비판한다. 여기서 '젖은 작업'이란 바이오아티스트들이 살아있는 생물학적 매체로 작업하는 방식을 일컫는 어휘이다. 그들은 이러한 이데올로기 뒤에 숨은 모순들을 들춰내면서 동시에 바이오아트에 대한 올바른 이해를 촉구하고 있다.

그러한 예로 기술결정론에 대항하는 미술적 철학적 반응으로서 아이러니를 택한 "조직 배양과 미술(Tissue Culture & Art, 이하 TC&A)" 프로젝트의 작업과 이 프로젝트를 이끌고 있는 오론 캐츠(Oron Catts)와 이오낫 주르(Ionat Zurr)를 들 수 있다. 바이오미디어의 생명과 죽음, 존재의 문제에 대해 심각하게 접근해온 "TC&A"는 1996년 오론 캐츠가 설립해 현재까지 활동하고 있는 프로젝트로서, 생물학적 미술 영역의 선구적인 작업을 실행해오고 있다. 특히 캐츠는 2000년에 서호주대학(West Australia University)의 해부학과 인간 생물학 단과대학(The School of anatomy and Human Biology) 내에 심바이오티카(SymbioticA) 연구소를 설립해 운영해오고 있다. 그는 이오낫 주르를 비롯한 다른 미술가들 및 과학자들과의 협업 아래 '생명'의 개념을 진화시킬 새로운 문화적 표명의 필요성을 강조하는 데 중점을 두고 연구하며 작업하고 있다. 그들은 인간이 생명을 다룰 수 있는 능력과 지식이 증대해 감에 따라 우리가 어디로 가고 있는가를 알아야할 필요가 있다고 주장한다. 미술은 우리가 직면하고 있는 중요

---

19) 미셸 푸코, 『담론의 질서』, 이정우역 (서강대학교출판부, 1998), 59.

그림 6) TC&A 〈희생없는 가죽〉, 2000

한 변화를 설명하면서 문화적 의미를 만들어가는 역할도 해야 하는 것이다. 이를 위해 그들은 화자의 의도와 말이 상반됨에도 불구하고 독자가 그 상반된 내용을 역설적으로 이해하게 만드는 아이러니의 방식을 이용한다. 캐츠는 아이러니가 독선적인 태도를 피할 수 있는 도구이며, 미술표현의 비판적 양상들을 유지하는 방법과 시도 중 하나임을 충분히 깨닫고 있었다.

캐츠를 비롯한 "TC&A" 프로젝트 그룹은 만약에 우리가 신체의 일부를 신체 밖에서 살아있는 상태로 유지해서 조작하고 수정하며 어떤 다른 목적을 위해 사용한다면 그것은 우리 신체에 대한 지각, 전체성, 우리의 자아와 관련해 어떻게 설명될 수 있을까를 스스로 질문한다. 생명체의 일부를 조작한다는 것은 그것과 불가분의 관계가 있는 살아있는 전(全)존재 때문에 분명 당황스러운 일이기 때문이다. 그들이 관심을 가진 것은 세포 '위'의 수준이자 전(全)유기체의 '아래'에 있는 수준의 '조직(tissue)'으로, 체외에서 배양된 '반쯤 살아있는(semi-living)' 존재였다. 이러한 '반쯤 살아있는 존재'를 가능하게 하는 조직배양 기술은 20세기 초에 시작되어 조직공학(tissue engineering)이라는 학문으로 발전되었는데, 그것은 결함이 있거나 상처 난 신체부분의 기능을 대체하고 보조할 목적으로, 한 존재의 일부조직을 체외에서 3차원으로 성장시켜 원하는 모양으로 만들거나 통제하는 것을 말하며, 원래 존재의 바깥에서 그리고 그 존재와는 독립적으로 살아있는 상태를 유지한다. 이제 '반쯤 살아있는' 존재는 바이오아트를 통해 실험실에서 나와 미술영역으로 들어오게 되었으며, 그를 통해 미술가들이 새로운 존재들로 형태를 만들 수 있고 생명에 대한 인식을 다르게 조명할 수 있는 새로운 담론을 창출하고 있다

는 것이 그들의 주장이다.[20)

TC&A의 미술가들과 과학자들은
1996년에 조직공학과 줄기세포기술을
이용해 혼성 유기체로부터 떼어낸 살
아있는 조직을 배양한 후 '반쯤 살아
있는' 몸체 즉 3차원으로 구성된 구성
물을 만들었다. 그들은 표피세포와 결
합조직의 단분자층(monolayer)으로 만
든 인형같이 생긴 작은 형태를 유리병
안의 조직배양접시 위에 살균된 실로
매달아 놓았다. 여기에 사용된 세포나
조직들은 거의 모두 과학 연구와 식품
소비를 위해 죽임을 당한 동물들의 잔
재물로부터 온 것이었다. 그들은 일부
러 'scavenging(남은 것을 뒤져서 찾음)'
이라는 단어를 강조했다. 윤리적이고

그림 7) TC&A, 〈반쯤 살아있는 걱정인형〉, 2000

철학적인 관점에서 이 단어는 생명의 연장으로서의 조직배양이라는 개념을 향상시
키기 위한 것이었다. 죽은 생명체로부터 가져온 일부 조직들은 9개월까지 생명이 연
장되기도 했다. '반쯤 살아있는' 존재들은 인공적인 생물반응기(bioreactor) 속에서 신
체의 조건과 유사하게 자라지만, 그대로 유지되기 위해서는 살균된 환경과 영양분이
있는 매체와 알맞은 온도와 같은 조건, 그리고 지속적인 인간의 돌봄과 기술의 개입
을 필요로 한다. TC&A는 '반쯤 살아있는' 존재가 생명의 연속체임에도 불구하고 집
에서 사육되는 식물이나 동물과는 달리 인간이 고안한 것이며 인간이 조작할 수 있
는 사물존재이기 때문에 조작단계에서 윤리적인 우려와 철학적 문제가 발생한다고
주장한다. 즉 '반쯤 살아있는' 존재는 생명체적 물질과 비 생명체의 물질, 배양된 것
과 구성된 것, 태어난 것과 조작된 것, 사물과 주체 사이의 불명확한 경계 위에 놓이

20) Oron Catts and Ionat Zurr, "Semi-Living Art", in *Signs of Life, Bio Art and Beyond*,
Eduardo Kac(ed.), (Cambridge, MA: The MIT Press, 2007), p.231

게 되는 것이다.

이들은 하버드 의대 메사추세츠 종합병원 조직배양 실험실의 연구원들과 공동작업한 결과, 2000년에 처음으로 〈반쯤 살아있는 걱정인형(Semi-Living Worry Doll)〉을 아르스 일렉트로니카 페스티벌을 통해 발표했다. 조직배양실이 설치된 전시공간은 곧 그것들을 '키우고 돌보는' 공간이었다. 이들은 이곳에서 자연 분해되는 고분자와 생체흡입하는 고분자(PGA, PLGA, P4HB) 등을 다룰 뿐 아니라 '반쯤 살아있는' 존재의 형상을 만들기 위해 외과봉합을 하기도 했다. 일 년 뒤 그들은 비슷한 방식으로 9개월간의 배양을 통해 〈돼지 날개 Pig Wings〉(2001)을 만든다. 이 작품은 휴먼 게놈 프로젝트에 의해 발생된 수사학적(rhetoric) 분위기와 이종기관이식(Xenotransplantation)에 대한 기사들을 보고 아이디어를 얻은 것이었다. 만약 돼지가 날 수 있을까? 그렇다면 그들의 날개는 어떤 모양일까를 생각하게 한다. 이 작품은 날개 달린 척추동물이라는 키메라를 암시하는 작품이었다. 그들은 9개월간 실험실에서 배양해 거기에 금을 입혔다. 역시 아르스 일렉트로니카 센터에서 10일간 전시한 후, 더 이상 그것을 돌보아줄 사람이 없게 되자 자연스럽게 죽게 만드는 의식(the killing ritual)을 치르기로 한다. '반쯤 살아있는' 존재들의 죽음은 바이오아트라는 '살아있는' 미술의 한시성에 대한 개념을 강화시켰고, 그것들의 운명을 결정하는 창조자로서의 인간인 우리에게 놓인 돌봄과 책임감을 깨닫게 하는 것이 목적이었다.[21] 이들의 작업은 생명기술 산업의 배후에 있는 지배적 이데올로기를 폭로하기 위해 그 내용을 심화시켜 미술 실험 프로젝트를 실행한 것이었으며, 이를 위해 '반쯤 살아있는 존재'를 직접 만들어 그것들의 본래적 실존의 조건을 미술이라는 형식으로 대중에게 알린 것이었다. 미디어의 '살아있음'은 미술가들에게 일종의 부담감과 책임감을 강요한다. 그것은 생명체를 다루는 기술과 미술적 표현 형식 및 내용과도 연관되며, 그들이 말하고자 하는 메시지와도 연관된다. 바이오미디어의 '살아있음'은 서로 다른 매체들의 융합에 영향을 줄 뿐 아니라, 그것을 융합된 하나로 읽어내야 하는 관람자에게 더욱 부담스럽고 의미심장한 내용이 되고 있다.

'죽게 만드는' 의식은 2004년 아델라이드 미술 페스티벌(Adelaide Festival of Arts)의

21) Oron Catts and Ionat Zurr (2007), p.239

전시 및 심포지엄인《바이오기술 시대
의 미술(Art of the Biothech Era)》에 소개
되었던 〈여분의 귀 1/4 크기 Extra Ear
1/4 Scale〉의 전시 기간 마지막 날에
다시 한 번 치러졌다. TC&A는 청중
멤버들을 초청해 바로 그 조직 배양된
귀를 생체-인큐베이터(bio-incubator)
로부터 꺼내 청중들이 만질 수 있게
내놓았다. 사람의 손에 있는 박테리아
와 곰팡이 등은 세포를 죽일 만큼 강
력한 것이었다. 이는 이 조각들이 통
제된 환경들의 밖에서 더 이상 '살 수'
없으므로 세포가 죽는 과정이 시작되
었음을 의미한 것이었지만, '돌봄'과

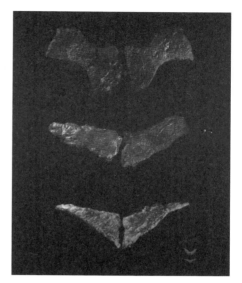

그림 8) TC&A, 〈돼지 날개〉, 2001

'관리'라는 미학적 과정 아래 그것을 '죽게 하는' 일련의 퍼포먼스는, 인간향상과 질
병 퇴치라는 이데올로기 아래 정당성을 획득한 생명에 대한 개입과 통제를 적나라하
게 드러내는 것이었다. '살게 만들었다'가 '죽게 내버려두는' 생명권력을 생각나게 하
는 퍼포먼스였다.

III-3. 동물 희생이 없는 유토피아는 가능한가?

바이오 기술 산업의 연구와 상업적 실행에는 인간과 동물 사이에서 발생될 수 있
는 유전자, 세포, 조직, 유기적 물질의 상호교환이 포함된다. 이러한 실행에서 자주 생
기는 윤리적 딜레마 중 하나는 인간의 이익을 위해 동물을 재료 혹은 물질처럼 취급
하는 경우가 있다는 것이다. 인간에 이롭도록 만들어진 응용학문으로서의 생명과학
의 목적이 분명하긴 하지만, 생명기술이 취급하는 생명의 존재론적 애매모호함은 비
인간 생명체의 '권리'에 대해 생각하게 만든다. '권리(right)'는 18세기부터 서구 문화
의 역사에 존재해 온 개념으로, 자유롭게 말하고 자기 결정을 내리는 등의 능력과 연
관된다. 그러다 보니 권리는 인간에게 한정되어 인간은 비인간의 권리를 평가할 수

있는 암시적인 기준이 되었다. 제레미 리프킨(Jeremy Rifkin)은 바이오기술들이 비인간 생명체들의 자율성을 빼앗고 생명의 신성함을 더럽혔다고 주장했다. 그는 생명기술을 조작하는 바이오아트가 아무리 근사한 바이오미학을 가진다고 할지라도 그것은 19세기 말, 20세기 초에 우생학을 내세웠던 파시스트 미학과 다를 바 없다고 주장했다.[22]

오론 캐츠가 비판하고자 한 또 하나의 내러티브는 생명을 성공적으로 통제하고 기술적으로 매개해 잘 조정하면 "(동물) 희생이 없는(victimless) 유토피아"가 도래할 것이라는 또 하나의 수사학적 논리이다.[23] 이는 내용은 조금 다르지만 의학적 지식과 기술로 잘 통제하면 질병과 범죄가 없는 세상이 될 것이라는 생명 정치적 수사학과 유사하다. '동물권'을 주장하는 사람들에게 인간의 고기 소비는 인간과 다른 살아있는 체계들 사이의 상호작용 중 가장 흔하면서도 잔인한 영역일 것이다. 그것은 먹는 소비와 관련된 불편한 진실이자, 살아있는 체계에 대한 현대 사회의 위선이기도 하며, 더 광범위하게는 타자에 대한 위선과 관계된다.[24]

TC&A 프로젝트 팀은 〈배양된 고기로 만든 요리(Disembodied Cuisine)〉라는 설치에서 동물을 죽이거나 희생하지 않고 만든 고기(victimless meat)를 먹을 수 있는 '미래를 위한 대안적 시나리오'를 제시한다. 그들의 전략은 생명기술 산업의 배후에 있는 이데올로기의 위선과 모순을 들춰내기 위해 아이러니를 사용하는 것이었는데, 실제 그것(동물을 희생하지 않은 고기)을 만들어 대중에게 제시하고 설명하며 비판을 이끌어낼 수 있는 공간을 만드는 것이 목적이었다.[25] 그들의 계획은 동물로부터 조직을 채취한 세포를 체외에서(in vitro) 증식시켜 결국 음식으로 소비될 수 있는 고기로 성장시키거나 혹은 구성하도록 하는 것이었다. 그들은 2000년에 조직공학기술 연구의 일부로 임신한 양의 자궁 내에서 얻은 골격근 세포를 배양해 스테이크를 만드는 데 성공한다. 이 스테이크는 아직 태어나지 않은 동물로부터 성장된 것이어서 '이론상' 이 작업은 음식을 위해 동물을 죽이거나 고통을 주는 방식을 줄일 수 있고, 동물 복지문제로

---

22) Jeremy Rifkin, *The Biotech Century*, London: Phoenix, 1998, p.225-226
23) Ingeborg Reichle, *Art in the Age of Technoscience, Genetic Engineering, robotics, and Artificial Life in Contemporary Art* (Wien: Springer-Verlag, 2009), p.84.
24) Oron Catts and Ionat Zurr (2007), p.233
25) Reichle (2009), p.84.

육식을 거부하는 사람들에게 해결방법(동물성 단백질이 풍부한 음식)이 될 것이라는 '미래'를 보여주는 것이었다. 게다가 음식 산업과 관계된 생태학적이고 경제적인 문제(동물을 먹이기 위해 사료를 만들거나 곡물을 키우는 등등의 문제)들을 드라마틱하게 감소시킬 수 있을 것이라고 전망할 수 있는 것이었다. 실제로 PETA(동물의 윤리적 취급을 도모하는 사람들의 모임. People for the Ethical Treatment of Animal) 회장이 이들의 작업에 공동 협력 하겠다는 연락을 해왔다. PETA는 〈배양된 고기로 만든 요리〉에 대해 "당신들은 무엇이 자연적인 것으로 여겨져야 하는지에 대한 경계를 확장시켰으며, 생명의 복잡성과 모순들에 대한 새로운 이해를 가능하게 해주었습니다. 우리는 당신들이 인간의 생명의 존엄성과 인간이 인간생명과 다른 형태의 생명들 사이에 만들어 온 인위적 경계들에 대해 보여준 가슴 아픈 문제들에 대해 매우 강한 흥미를 갖게 되었습니다." 라고 썼다.(2003년 2월 10일의 편지). 심지어 PETA의 회장은 TC&A와 협력하고자 자신의 몸에서 조직을 채취하고 성장시켜 스테이크를 만들고 그녀 스스로 먹음으로써 고기 소비가 곧 카니발리즘으로 여겨지게 만들고자 했다.[26]

그러나 정작 당사자들인 TC&A 팀의 결론적인 생각은 조금 달라진다. 최근까지도 많은 사람들이 조직배양 방식의 절차에 있어서 배양되는 세포 뿐 아니라 세포에 제공될 본질적인 영양분까지도 필수적으로 동물에서 추출된 것이어야 한다는 사실을 간과하고 있다는 것이다. 예를 들자면, 실제로 10그램의 조직을 배양하려면 송아지 한 마리로부터 추출한 면역 혈청을 필요로 하는데, 그 면역혈청 추출의 양은 한 마리의 송아지를 대부분 죽게 만드는 양이었다. 이것이 과연 희생이 없는 것인지에 대해 다시 한 번 생각해보게 만드는 부분이다. 이러한 사실은 동물실험을 대체하기 위한 것으로서 조직배양 방식을 옹호하는 사람들에게조차도 잘 알려져 있지 않은 것이었다. 조직배양과 연관된 기술들의 추상성이 PETA나 유럽 동물실험중지협회와 같은 조직에게 진정한 동물희생의 문제를 모호하게 알리는 데 기여했다는 것이다. 이렇게 조직배양작업을 하면서 직면하게 된 "조직공학의 숨겨진 희생"에 대한 폭로는 조직공학을 포함한 모든 생명기술을 일종의 자기기만 아래 지나치게 낙관적으로 받아들이는 사회에 대한 경고이기도 했다.

---

26) Oron Catts and Ionat Zurr (2008), p.131

IV. 맺음말

바이오아트는 과학기술의 발전과 함께 발생된 넓은 의미의 문화적 충격을 드러내는 징후다. 생명기술의 발전과 생물학적 매체를 둘러싼 사태의 변화를 추적하고 미술로 표현하는 바이오아티스트들의 생물학적 프로젝트는 그 자체로 윤리적 성찰의 대상이 될 수 있다. 그러나 실제적으로 볼 때 바이오아트에 의해 발생되는 문제들은 산업분야에서 이익을 위해 실행되는 바이오테크에서보다 훨씬 더 적다. 과학자들은 드러내지 않으려 하는 반면, 미술가들은 드러내기 위해 작업하기 때문일 것이다. 바이오아티스트들은 실험실의 과학자들이 '닫힌 문 안에서' 이미 사용했던 기술들을 탐사하거나 드러내면서 이목을 집중시키는 전략을 사용하는데, 이는 미술이 비판적 거리두기를 가질 수 있는 이점이 있으며 어떤 정치적 입장이 없이도 중요한 질문을 던질 수 있는 공간에 위치하듯이 바이오아트 또한 '생물학'의 시대에 다소 특별한 방식으로 비판적 거리두기를 유지할 수 있기 때문이다.

바이오아티스트들이 상상하는 인간의 미래는 늘 그렇듯이 유토피아적인 낙관과 디스토피아적 암울함의 경계 위에 놓인다. 대부분의 바이오아티스트들은 미술에 생물학적 기술을 끌어들여 매체의 확장과 새로운 미술을 만들어내려는 욕심만을 표현하지는 않는다. 그들은 인간향상 가치에 대한 미심쩍은 눈길로 과학기술의 실행 안에 놓인 '신처럼 행동하기(playing god)' 혹은 '생명-놀이(bio play)'의 태도를 비판하기도 하고, 국가 기관 및 산업 자본주의와 결탁한 생명 권력의 숨은 이데올로기를 들추어내기도 한다. 아마도 당분들은 극단을 거부하면서 기술진보주의도 생명전통주의도 아닌 중립 지대에서 작업을 계속하게 될 것이다. 생명과학기술의 미래가 질병 없는 세상을 위한 희망과 유토피아의 영역임과 동시에, 예측 못할 하이브리드의 공포와 실험을 위해 수없이 죽어가는 동물의 희생이 만연한 그러면서도 자본과 권력 내에서만 극대 효과를 얻게 되는 디스토피아의 영역을 포함하듯이, 생명기술을 다루는 바이오아트 또한 그러한 이중적 영역을 포함하는 것이 당연할 것이다.

주제어(Keyword): 바이오아트 (Bioart), DNA (DNA), 생명개입 (Intervention in Life), 유전자이식미술 (Transgenic art), 생명권력(Bio-power), 조직배양과 미술 프로젝트 (Tissue Culture & Art Project)

참고문헌

미셸 푸코(1963), 『임상의학의 탄생, 의학적 지식의 고고학』, 홍성민 옮김, 이매
　　진, 2006

미셸 푸코(1970), 『담론의 질서』, 이정우역, 서강대학교출판부, 1998

미셸 푸코(1972), 『광기의 역사』, 이규현 옮김, 나남출판, 2003

박성관, 『종의 기원, 생명의 다양성과 인간 소멸의 자연학』, 그린비, 2010

신승철, 「제 2의 창조자로서의 예술가: 바이오테크와 예술적 자유」, 『현대미술학
　　논문집』, 16집, (2012년 6월): 69-120

이상헌, 「생명의 합성, 희망인가 재앙인가? -이상헌의 과학기술 속에서 윤리 읽
　　기」, HelloDD.com, Korea's No.1 Media in Science & Industry, (2011년 6
　　월 9일): http://www.hellodd.com/news/article.html?no=34593

진 로버트슨, 크레그 맥다니엘(2009), 『테마 현대미술 노트, 1980년 이후 동시대
　　미술 읽기 - 무엇을, 왜, 어떻게』, 문혜진 옮김, 두성북스, 2011

진태원, 「생명정치의 탄생 - 미셸 푸코와 생명권력의 문제」, 『문학과 사회』 (특
　　집: 생명정치-권력과 저항의 새로운 정점), 19(3)호. (2006): 216-237

최원규, 「생명권력의 작동과 사회복지, 강제불임 담론을 중심으로」, 『상황과 복
　　지』, 제 12호, (2002. 9): 143-181

Ackroyd, Heather and Dan Harvey, "Chlorophyll Apparitions", in Signs of Life,
　　bio Art and Beyond, ed. Eduardo Kac, The MIT Press, 2007, pp.199-
　　210

Ackroyd & Harvey, "Pressence" in http://www.ackroydandharvey.com

Anker, Suzanne and Dorothy Nelkin, The Molecular Gaze, Art in the Genetic
　　Age, Cold Spring Harbor laboratory Press, 2004

Catts, Oron and Ionat Zurr, "Semi-Living Art", in Signs of Life, Bio Art and
　　Beyond, Eduardo Kac(ed.), The MIT Press, 2007, 231-247

Catts, Oron and Ionat Zurr, "The Ethics of Experimental Engagement with the
　　Manipulatin of Life", in eds. Beatriz da Costa and Kavita Philip, Tactical

Biopolitics, Art, Activism, and Technoscience, MIT Press, 2008, 125-142

Gatti, Gianna Maria The Technological Herbarium, ed.,trans. from the Italian, and with a preface by Alan N.Shapiro, Avinus, Verlag, 2010

Genesis Project, Synthetic Biology-Life from the Lab, Ars Electronica Center Exhibition Site: http://www.aec.at/center/en/ausstellungen/projekt-genesis/

George Gessert, "The Slowest Art," in Green Light, Toward an Art of Evolution, The MIT Press, 2010, pp.171-175

--------------, "Naming Life," Green Light, Toward an Art of Evolution, The MIT Press, 2010, p.125-132

"George Gessert: Genetics and Culture" from the Leonardo Electronic Dictionary: http://www.viewingspace.com/genetics_culture/pages_ genetics_culture/gc_w02/gc_w02_gessert.htm

--------------, "Why I Breed Plants," Signs of Life, Bio Art and Beyond, ed. Eduardo Kac, The MIT Press, 2007, pp.185-197

--------------, "Notes on Genetic Art," in Leonardo, Vol.26, n.3, 1993, pp.203-211

--------------, "Breeding for Wildness," in The Aesthetics of Care?, Acts of the SymbioticA Symposium, Perth Institute of Contemporary Art, Australia, August 5, 2002. np.

Heiferman, Marvin and Carole Kismaric, Paradise Now, Picturing the Genetic Revolution, Exhibition Catalogue of Exit Art, September 9 – October 28, 2000

Kac, Eduardo, "Art that Looks You in the Eye: Hybrids, Cones, Mutants, Synthetics, and Transgenics," Introduction of Signs of Life, Bio Art and Beyond, ed. Eduardo Kac, The MIT Press, 2007, pp.1-27

------------, "Transgenic Art," Originally Published in Leonardo Electronic Almanac, vol.6, N.11, December 1998, n/p/n., from http://www.ekac.org/transgenic.html.

"Mouse with Human Ear", Dr. Karl's Great Moments In Science, ABC Science, 02, June 2006: http://www.abc.net.au/science/

articles/2006/06/02/1644154.htm

Piccinini, Patricia, "Nature's Little Helpers", Patricia Piccinini, Nature's Little Helpers, Exhibition Catalogue of Robert Miller Gallery, New York, 22 October-30 November, 2005

Rabinow, Paul and Gaymon Bennett, "From Bioethics to Human practices, or Assembling Contemporary Equipment" in eds. Beatriz da Costa and Kavita Philip, Tactical Biopolitics, Art, Activism, and Technoscience, MIT Press, 2008, 389-400

Reichle, Ingeborg, Art in the Age of Technoscience, Genetic Engineering, robotics, and Artificial Life in Contemporary Art, Wien: Springer-Verlag, 2009

Vanouse, Paul, "The Relative Velocity Inscription Device," in Signs of Life, Bio Art and Beyond, (ed.) Edouardo Kac, MIT Press, 2007, 277-283

Vanouse, Paul, "Discovering Nature, apparently: Analogy, DNA Imaging, and the latent Figure Protocol," in Tactical Biopolitics, Art, Activism and Technoscience, (ed.) Beatrice da Costa and Kavita Philip, MIT Press, 2008, pp.177-192

Youngs, Amy M., "Art Statement,"
    http://www.ylem.org/artist/ayoungs/statement.html

Bioart and the Intervention in Life

Jeon Hye-sook (Ewha Wemen's University)

The prefix 'bio' with the meaning of 'life', has been used for biotechnology, biochemistry, bioengineering, biomedicine, bioethics, bio-information as well as 'bio art' since 1990s. Bio art is an art as life itself and a kind of new direction in contemporary art that manipulates the processes of life. Bio artists use the properties of life and materials as scientists in laboratory of biology, and change organisms within their own species, of invents life with new characteristics. Technologically and socio-culturally, bio art has been connected with bioengineering.

This essay is on the bio art that use vegetables, and on the specified gaze of so-called 'Sci-Artists'. Not only the genetically modified vegetables like works of George Gessert, Ackroyd & Harvey, and Eduardo Kac, but also the works made from the critical viewpoint like those of Paul Vanouse and Amy Youngs, have 'the molecular gaze'(Suzanne Anker and Dorothy Nelkin's concept) of the genetic age in their art works. As the art history have showed, artists' gazes have insights about social problems that surround us. Bioartists' gazes reveal their insights about social and ethical problems, possibly concealed by science itself. Those problems are about results from practical discoveries of the sequencing of the genome, genetic engineering, cloning and reproduction of human and animals, body transformation, and the commercialization of cell and genes etc. We can find the significance of bioart in the molecular gaze about those problems, and we can rethink the identity of human, the reception of social influences from bio-technology and medicine.

Most bioartists remain at the boundary between the approval and disapproval towards biotechnology or between the utopian and dystopian world brought on by genetic engineering technology. However, there are bioartists who reveal the hidden contradictions behind the use of biotechnology. They have selected critical irony as an artistic and philosophical response against technological determinism. They criticize the contradiction of bio-power which always has the possibility of triggering negative results within the ideology that oversees and controls life, however good intention the nation had for humans and global environment. By revealing the contradictions of the narratives that are prevalent in relation with biotechnology through their 'wet hands' and criticizing the controlled ideology within bio-intervention claimed by national power and bio-industry, these bioartists claim that the contradictions and ideology work as the basis of dystopia. The territory of biotechnology is the area of utopia and hope for a world without disease, but at the same time, it is also the area where fear of the unforeseeable hybridity exists, many animals are sacrificed for experiments, and a dystopia where extreme effect can only be attained within capital and power. Thus, bioart, which has biotechnology as its theme, also encompasses the dual meaning of the two areas and pursues a utopia, yet criticizes its other side, the dystopian world of contradictions.

물신과 생명: 문화적 경계 위의 바이오 아트[1]

신승철(강릉원주대)

I. 성체

아비 바부르크(Aby Warburg, 1866-1929)는 인류의 문화적 기억들을 '이미지아틀라스 므네모시네(Bilderatlas Mnemosyne)'에 담아 놓으면서, 성체의 기적을 소홀히 하지 않았다.[2] 그는 미완성으로 남겨진 이미지 아틀라스의 마지막 패널(그림 1)에 성체 관련 이미지들을 모아 두었고, 그 중심에 라파엘로의 〈볼세나의 미사〉를 배치했다. 1511년에 제작된 이 프레스코화는 교황 우르비노 4세의 볼세나 방문 중 일어난 이적을 묘사한다. 미사를 집전하던 신부가 실체변화(transssubstantiation)를 의심하자, 보란 듯이 성체(Host)에서 그리스도의 피가 흘러내렸다는 것이다. 바부르크는 성체변화

---

1) 이 논문은 『미학예술학 연구』 제 41집에 실린 필자의 논문, 〈바이오팩트 - 생명의 점근선〉을 가볍게 수정, 보완한 것으로, 2015년 3월 26일 인천가톨릭대학교 그리스도교미술연구소가 주최한 〈그리스도교미술 심포지엄 - 생명〉에서 발표되었음. 당시 생산적 논평을 해 주신 장동훈 교수신부께 감사드린다.
2) 바부르크의 이미지 아틀라스 마지막 패널에 관한 상세한 논의는 Charlotte Schoell-Glass, "'Serious Issues': the Last Plates of Warburg's Picture Atlas Mnemosyne", in: *Art History as Cultural History: Warburg's Projects*, Richard Woodfield (ed.), London: Routledge, 2001, pp. 183-208를 보라.

그림 1 아비 바부르크,
이미지아틀라스 므네모시네 79번 패널

와 희생제의의 "초시간성"[3]을 강조하고자, 라파엘로의 프레스코 옆에 1929년 7월 25일 성 베드로 광장에서 거행된 성체 행렬 장면들을 배치했다. 교황 피우스 11세를 태운 수레, 광장을 가득 메운 군중, 스위스 근위병, 성당 내부에서의 미사 장면 등은 보티첼리의 〈성 히에로니무스의 마지막 성찬식〉과 함께 성변화의 현재성과 '이것은 내 몸이다'라는 성찬 제정의 공동체적 의미를 강조한다.

성체에 내포된 그리스도의 자기 희생을 염두에 두었을 때, 바부르크가 성체 거동 사진들 바로 위에 할복 장면과 참수 장면을 배치한 것은 결코 우연이 아니었을 것이다. 불경스럽게도 미사 장면 옆에 나란히 자리 잡은 이 두 장의 이미지는 얼마 전까지 일본에서 일상적이었던 정치적 희생 의식과 신체적 폭력을 시각화한다. 같은 맥락에서 유태인들의 '성체모독(Hostienfrevel)' 장면(그림 2)이 패널 맨 아래의 스위스 근위병 사진 양 옆에 추가되었다. 각각 피렌체와 뤼벡에서 제작된 이 두 장의 목판화는 성체 훼손에 관한 내용을 담고 있다. 성체를 단순한 '대상'으로 간주했던 유태인들이 그것을 먹거나 팔고, 파괴하려 하지만, 훼손된 그것이 피 흘리거나 실제 살로 변해 그들의 악행을 드러내고 결국 잔인한 방식으로 죄 값을 치르게 한다는 것이다. 1215년 라테란 공의회에서의 화체설 인정 이후 양산된 이러한 일화들은 성체에 얽힌 이중적인 희생과 폭력을 상기시킨다.

신체적 희생 또는 폭력이라는 주제는 참수 장면 바로 아래 배치된 일본 골프선수 타케우치의 스윙을 통해 반복된다. 바부르크는 할복의 고통을 덜어주기 위해 뒤에서 칼을 휘두르는 사내와 죄인의 참수 장면 스케치, 그리고 골프 스윙을 병렬시킴으로

3) Charlotte Schoell-Glass, 같은 논문, p. 195.

그림 2 이미지아틀라스 79번 패널의 성체모독 이미지

써 그 유형학적 유사성을 확인시킨다.(그림 3) 폭력과 신체적 희생의 제의가 도상화, 상징화되었다고 해도, 근대적인 스포츠의 형태로 여전히 잔존한다는 것이다. 이 골프 스윙 장면은 '함부르크 이국통신(Hamburger Fremdenblatt)'[4]에서 가져온 것인데, 바부르크는 다른 이미지들과는 달리 그 신문 지면을 거의 그대로 패널에 부착했다. 신문에서는 골프선수 타케우치를 비롯해 수영 대회 우승자의 사진, 조정대회 장면, 경주마의 모습 등이 성체 거동 중인 교황 피우스 11세의 사진과 함께 확인된다. 바부르크는 이러한 엉뚱한 편집에 주목했고, 1929년 7월 30일 당시 갓 박사학위를 취득한 연구자들에게 연설을 하면서 그 레이아웃의 문화사적 의미를 비판적으로 언급했었다. 신문에서 성스러운 교황의 사진은 건장한 수영 선수의 이미지에 침범 당하고 있는데(그림 4), 바부르크는 연설을 위한 메모에 다음과 같이 기록을 남겼다.

"나는 자문해 본다: 수영 선수는 성체현시대(Monstranz)가 무엇인지 알고 있을까? 인격이 아닌 한 전형으로서의 건장한 청년이 [...] 그 상징의 본질에 대해 아는 것은 정말 불필요한 일일까? [...] 거친 병렬은 [...] 비장한 '이것은 내 몸이다(hoc est corpus meum)' 옆에서, 유쾌한 '이것이 내 몸이다(hoc meum corpus est)'가 아주 불현듯 시각화될 수 있다는 사실을 보여준다."[5]

---

4) *Hamburger Tagesblatt*, Nr. 208, 1929년 7월 29일 석간, p. 9
5) Aby Warburg, *Doktorfeier*, Notizbuch, 30, Juli, 1929; Ernst H., Gombrich, *Aby*

그림 3 참수 장면과 골프 스윙의 유형학적 유사성

　바부르크는 교황의 종교적 영역을 침범한 수영 선수의 건장한 신체를 관찰하면서, 구원자의 비장한 자기희생의 말이 나르시스적인 구절로 변환되는 '위트있는 전환'을 포착했다. 하지만 그는 수영 선수의 자신감에 찬 신체를 "옛 괴물 이미지의 진정한 후예"[6]로 묘사하면서, 성변화라는 종교적 마술에 연관된 신체적 희생과 폭력을 다시 한 번 상기시켰다. 성체의 영역을 침범한 북유럽 수영선수의 세속적이고 불경한 신체는 그에게 종교 개혁 시대에 종말을 암시하던 이교적인 키메라들의 잔존(survival)을 의미하는 것이었다. 성체와 대비되는 세속적 육체, 그리고 양자 모두에 얽힌 희생과 폭력은 시대를 뛰어넘어 끊임없이 반복된다.

　'시대착오적'인 도상의 이러한 불규칙한 회귀에 대한 바부르크의 통찰은 오늘날 바이오테크놀로지가 만들어낸 기괴한 신체들 위에 자연스럽게 투영될 수 있을 것이다. 브라이언 크로켓(Bryan Crockett)의 〈이 사람을 보라(Ecce Homo)〉(그림 5)에서는 이미지 아틀라스의 세속적 신체의 괴물적 본성, 또는 그에 얽힌 희생과 폭력이 다시 한 번 관찰된다. 사람 크기로 제작된 이 온코마우스(oncomouse)는 암 연구를 위한 실험용 쥐의 과장된 재현이다. 마치 축사하듯 손을 들고 서 있는 거대한 키메라는, 자신의 몸을 희생해 인류에게 구원을 허락할 것이다. 하지만 그것은 자기 몸을 내어주는

Warburg: Eine intellektuelle Biografie, Hamburg: Philo & Philo Fine Arts, 2006, p. 373 에서 재인용.
6) Aby Warburg, *Doktorfeier*, Notizbuch, 30, Juli, 1929, Ernst H., Gombrich, 앞의 책, p. 372에서 재인용.

신의 속성뿐 아니라, 희생양으로서의 비극적 신체의 본성 역시 드러낸다. 그것은 인간을 살리기 위해 "반복적으로 깊은 고통"[7]을 겪게 될 것이기 때문이다. 그것에게서 나르시스적인 '이것이 내 몸이다'는 다시금 비극적 전환을 맞게 된다. 수영선수의 강인한 육체로 문명화된 폭력의 도상들은 다시금 현실이 되고, '성체 안치기'라는 종교적 상징을 통해 기능하던 구원은 실제 육체의 희생을 요구하게 된다.

그림 4 함부르크 이국통신 스크랩

온코마우스에게서 상징과 "은유"는 다시금 "물질적 사실"[8]이 된다. 그리고 바부르크가 그토록 두려워했던 상징 또는 이미지의 내적 에너지는 통제할 수 없는 현실이 된다. 정신분열증을 앓던 그에게, 인류 문명이 "사유 공간(Denkraum)"[9]을 유지하는 것은 핵심적인 문제였다. 그는 신화적 세계와 자연 공포에 직접 맞닥뜨리지 않기 위해, 그것과 거리를 두고자 했다. 바부르크에게 성체는 빵과 그리스도의 육체 사이의 양극성 속에서 활동하는, 하지만 그 범위를 넘어설 수는 없는 상징이었다. 마찬가지로 종교와 학문[10], 마술과 논리[11]는 언제나 '분열증적'인 긴장 상태를 유지해야 했다. 그래서 바부르크는 교황의 세속적 권력이 종교적 상징이 된 로카르노 조약에 환호했다. 반대로 1차 대전 등으로 거리가 파괴되고 "세계가 산산조각 났을"[12]때, 그의 정신 역

7) 다나 J. 해러웨이, 『겸손한 목격자』, 민경숙 옮김, 갈무리, 2007, p. 105.
8) 다나 J. 해러웨이, 같은 책, p. 176.
9) Aby Warburg, *Schlangenritual: Ein Reisebericht*, Berlin: Wagenbach, 1988, p. 59.
10) Aby Warburg, *Doktorfeier*, Notizbuch, 30, Juli, 1929.
11) Aby Warburg, "Heidnisch-antike Weissagung in Wort und Bild zu Luthers Zeiten", in: *Aby Warburg: Gesammelte Schriften* Bd. II, Horst Bredekamp and Michael Diers (ed.), Berlin: Akademie Verlag, 1998, pp. 487-558 참조.
12) Michael, *Schlagbilder: zur politischen Ikonographie der Gegenwart*, Frankfurt am Main: Fischer, 1997, p. 64.

그림 5 브라이언 크로켓, 〈이 사람을 보라〉, 2000.

시 무너져 내렸다.[13]

그가 레이아웃을 탓하면서도 함부르크 이국통신에 주목한 것도 같은 이유에서였다. 그는 성체와 건강한 육체, 성체현시대(Monstranz)와 괴물(Monstrum), 구원과 희생 사이의 혼재와 긴장이 형성하는 '사유 공간'을 강조했고, 이를 통해 세계와의 거리를 확보하고자 했다. 실제로 그는 연설의 마지막 부분에서, 남유럽의 카톨릭과 북유럽인의 잘 훈련된 세속적 신체, 과거와 현재, 종교적 구체성과 과학적 추상화, 비이성적 혼란과 반성적 사고라는 여과 시스템 사이의 긴장을 강조했다.[14] 이를 통해서만, '이것이 내 몸이다'라는 자기만족적 과시는 '이것은 내 몸이다'라는 자기희생 옆에서 분열증적이면서도 평화롭게 공존할 수 있을 것이다. 하지만 온코마우스에서처럼 구원이 종교적 또는 상징적 차원이 아닌 현실의 고통에서 비롯될 때, 물신(fetish)이 이미지를 능가하게 된다. 성체는 종교적 상징으로 머무는 것이 아니라, 실제 구원자의 살로 변화한다.[15] 십자가의 고통은 더 이상 신의 것이 아닌, 실험실의 '변형된 겸손한 목격자'[16]들의 몫이 된다.

바이오테크놀로지는 상징과 물신 사이의 균형을 깨뜨리고, 인간을 신화적 변신(metamorphosis)과 자연 공포에 직접 마주하게 만든다. 바부르크는 이미 백 년 전에 이

13) 다나카 준, 『아비 바르부르크 평전』, 김정복 옮김, 휴먼아트 2013, p. 75 ff.

14) Aby Warburg, *Doktorfeier*, Notizbuch, 30, Juli, 1929; Ernst H., Gombrich, *Aby Warburg: Eine intellektuelle Biografie*, Hamburg: Philo & Philo Fine Arts, 2006, p. 374 에서 재인용.

15) 성변화와 관련된 논쟁은 김기련, 「마르틴 루터의 성찬 이해」, 『신학과 현장』13, 2003, pp. 114-127 참조.

16) 다나 J. 해러웨이, 앞의 책, p. 69, 그리고 p. 114.

같은 상황을 우려했었다. 그는 전보나 전화 같은 테크놀로지가 "전기의 순간적 결합"을 통해 거리를 파괴하고, "상징적인 사고"를 가능하게 하는 "관조의 공간을 파괴"할 것이라 예언했던 것이다.[17] 그는 인간이 유기체로서의 자기 경계를 초월하는 것을 결코 원치 않았다. 테크놀로지는 인간의 신체를 확장시키겠지만,[18] 그와 동시에 그 윤곽의 상실 역시 발생하기 때문이다. 그래서 바부르크는 어떠한 '여과 시스템'도 없이 사물들의 세계와 마주하게 하지 않기 위해, 그것들을 이미지 속에 가두었다. 성체라는 상징 속에서 기능하는 그리스도의 희생적 구원처럼, 그는 사물들의 에너지를 이미지 속에 담아두고 안심했다. 분명 이미지가 살아있고 우리에게 영향을 준다고 해도, 그것은 단지 미적 가상의 문제였다. 그래서 그는 "너는 살아있다. 그리고 나에게 아무것도 할 수 없다"[19]라고 자신 있게 선언할 수 있었다. 미적 가상이라는 안전선이 사물들과 이미지의 예측할 수 없는 활동을 통제해 줄 것이라 기대했던 것이다. 하지만 오늘날의 바이오테크놀로지는 문화를 신화의 세계로 역행시키고, 다시금 자연에 대한 공포를 일깨우고 있다. 그것은 사물들을 되살리고, 이미지를 현실로 만든다. 인간과 비인간, 자연과 문화, 상징과 물신, 이미지와 현실, 주체와 객체 사이의 경계는 사라지고, 사물의 힘은 현실 속에서 해방된다.[20] 이제 우리는 그 마술적 힘을 완벽히 통제하려 했던 근대의 기획을 넘어, 그것들의 예측할 수 없는 기술적 변용의 경로를 추적해야 한다.

17) Aby Warburg, *Schlangenritual: Ein Reisebericht*, Berlin: Wagenbach, 1988, p. 59.
18) 마샬 맥루한, 『미디어의 이해: 인간의 확장』, 박정규 옮김, 커뮤니케이션 북스, 2001 참조.
19) Aby Warburg, "Grundlegende Bruchstücke zu einer monistischen Kunstpsychologie"; Ernst H. Gombrich, *Aby Warburg: Eine intellektuelle Biografie*, Hamburg: Philo & Philo Fine Arts, 2006, p. 98에서 재인용.
20) 이에 기초한 신유물론적 관점들은 Diana Coole and Samantha Frost (ed.), *New Materialisms: Ontology, Agency, and Politics*, Durham and London: Duke University Press, 2010 참조.

II. 생명의 기술화
II-1. 바이오팩트

성변화의 종교적 마술은 기술적 생명으로 치환되는가?(그림 6) 1907년 미국의 발생학자 로스 해리슨(Ross Granville Harrison, 1870-1959)은 세포를 몸 밖에서(in vitro) 배양하는데 성공했다. 양서류에서 채취된 신경 세포는 배양 접시 속에서 몇 주간이나 살아있었고, 전혀 예상하지 못했던 미시적 차원에서의 세포의 '자율성'이 확인되었다. 해리슨은 "자연 그대로의 대상의 개념, 즉 전체로서의 유기체"[21] 관념에 사로잡혀 있었던 동료 과학자들과 달랐다. 그는 동물을 마치 건드려서는 안 되는 "물신"처럼 대하는 그들의 태도를 비판했고, 신경 세포의 발달과정을 신체 외부에서 관찰하는 놀라운 관점의 변화를 보여주었다. 하지만 그의 방법론은 곧 예기치 못한 문제와 마주하게 되었다. 만약 신체 조직이 자신만의 고유한 삶을 살게 된다면, 과연 인간과 신체의 관념은 계속 유지될 수 있을 것인가? 해리슨의 동시대인들은 그의 연구를 통해 다음과 같은 사실을 깨달았다.

"우리 몸의 [...] 요소들은 물론 어느 정도는 우리를 위해 산다. 그러나 그것들은 무엇보다 스스로의 힘으로 살아간다."[22]

몸 밖에서 배양되는 신체 조직의 자율적 생명력은 오늘날 부인할 수 없는 사실이 되어 버렸다. 그것은 본래 자신이 기인한 신체로부터 자유로울 수 있고, 몸 바깥에서 그저 스스로 생장하는 생명 자체로 스스로를 주장할 수 있게 되었다. 그것은 오직 변화와 변이, 그리고 우연과 관련된다. 만약 신체 조직의 의학적, 상업적 활용을 전제하지 않는다면, 그것의 자율적 생장은 기괴한 생명체의 등장으로 이어질 것이다. 바이오팩트(biofact)의 관념은 이러한 윤리적 우려 속에서 유용성을 갖게 된다. 독일의 과학철학자, 니콜 카라필리스(Nicole C. Karafyllis)가 제안한 이 용어는 기술과학을 통해 인공적으로 제작된 생명을 지시한다. 카라필리스는 "살아있거나 살았었던 [...] 생물학

---

21) Ross G. Harrison, "The Cultivation of Tissues in Extraneous Media as a Method of Morphogenetic Study", in: *Anatomical Record* 6, 1912, pp. 181-193, 특히 p. 184.

22) Hannah Landecker, Culturing Life: How cells became technologies, Cambridge, MA, and London: Cambridge University Press, 2007, p. 29에서 재인용.

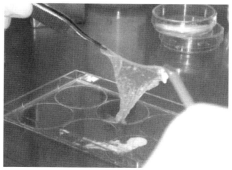

그림 6 라파엘, 〈볼세나의 미사〉 세부와 TC&A가 배양한 돼지 간엽세포 조직

적인 인공물"[23]을 설명하기 위해, 생명을 의미하는 그리스어 'bios'와 인공물을 의미하는 라틴어 'artefact'를 조합했다.[24] 바이오팩트는 인공적으로 제작되었지만, 생명을 지니고 있다는 점에서 단순한 사물과 구분된다. 반면, 제작자의 인공적 개입을 통해 형성된다는 점에서 자연 상태의 생명체들과도 차별화된다. 그래서 바이오팩트는 인공물과 생명 사이의, 그리고 자연과 기술 사이의 "무인지대(no man's land)"[25]에 놓이게 된다. 하지만 카라필리스는 그리스 신화 속에 그것들의 거점을 마련해 주었다.[26]

---

23) Nicole C. Karafyllis, "Die Gesundheit Humaner Biofakte", in: Scheidewege: Zeitschrift für Skeptisches Denken 32, 2002/2003, pp. 77-93, 특히 p. 81.

24) Nicole C. Karafyllis, "Das Wesen der Biofakte", in: Biofakte: Versuch ber den Menschen zwischen Artefakt und Lebenwesen, Paderborn: mentis, 2003, pp. 11-26, 특히 p. 12 ff.

25) Nicole C. Karafyllis, "Endogenous Design of Biofacts: Tissue and Networks in Bio Art and Life Science", in: sk-interfaces: Exploring Borders - Creating Membranes in Art, Technology and Society, Jens Hauser (ed.), Liverpool: Fact & Liverpool University Press, 2008, pp. 43-58, 특히 p. 46.

26) 이것은 오늘날의 바이오 아티스트들에게서도 일반적으로 관찰되는 태도이다. 에두아르도 카츠(Eduardo Kac)는 다음과 같이 쓰고 있다. "고대 그리스로부터 중세를 거쳐 근대의 아방가르드 운동에 이르는, 키메라 조각과 회화들은 전 세계의 미술관에 소장되어 있다. 하지만 키메라들은 결코 가상적인 것이 아니다. 첫 번째 유전자 변형동물이 나온 지 거의 20년이 지난 오늘날, 그것들은 실험실에서 반복적으로 생산되고 있고, 점점 유전자 환경의 더 큰 부분을 차지하고 있다." Eduardo Kac, "Transgenic Art", in: Life Science: Ars Electronica 99, Gerfried Stockerand Christine Schöpf (ed.), Vienna and NY: Springer 1999, pp. 289-295, 특히 291.

물신과 생명: 문화적 경계 위의 바이오 아트

머리는 사자, 몸은 염소, 꼬리는 용인 호메로스의 '키메라'[27]와 오늘날의 기괴한 유전자 변형 생물 사이의 친근성을 강조한 것이다. 실제로 배양된 신체 조직이나 사이보그, 그리고 유전자 변형 생물 같은 바이오팩트는 "고유의 방식으로 인식론적 문제를 상기시키는" 상상이나 "환영"으로부터 자유롭지 못하다.[28] 사람들은 옛 그리스 신화뿐 아니라 공상과학 소설 등을 통해 그것들에 이미 친숙했고,[29] 심지어는 그것들이 지구상에 존재하기를 강렬히 열망했었다.[30] 그리고 그것들의 실제 현실화를 위해 바이오테크(biotech), 즉 기술이 투입된다. 그래서 카라필리스는 바이오팩트가 "현상적으로 관찰"되는 "생명체"라는 사실을 강조한다.[31] 신적 기원을 갖는 옛 신화 속 '키메라'와는 다르게, 그것은 생물학적으로 현실화되고, 일정 부분 기술적으로 통제되기 때문이다. 이제 신화의 세계는 바부르크의 상징이 아니라, 바이오테크를 통해 우리의 현실과 마주하게 된다. 기술은 상징의 역할을 대신하게 되고, 이른바 신화적 변신을 고유의 방식으로 통제해야 하는 과제를 떠안게 된다.[32]

이러한 과제는 바이오팩트가 현상적으로는 생명체처럼 관찰된다는 주장의 이중적 의미 속에서 자연스럽게 설정된 것이다. 생명체로서의 바이오팩트의 관념은, 그것이 다른 생명체들처럼 스스로 자라나지만[33] 그 '생장'이 완전히 자율적이지 않다는 사

---

27) 호메로스, 『호메로스』, 천병희 옮김, 단국대학교 출판부, 2005, 제6권, 181, p. 127.
28) Nicole C. Karafyllis, "Das Wesen der Biofakte", in: *Biofakte: Versuch über den Menschen zwischen Artefakt und Lebenwesen*, Paderborn: mentis, 2003, pp. 11-26, 특히 p. 15.
29) Elmar Schenkel, "Chimären im Buch des Lebens: Jorge Luis Borges und die Genetik", in: *Scheidewege: Zeitschrift für Skeptisches Denken* 32, 2002/2003, pp. 94-105 참조.
30) 이러한 관점은 르네상스 예술론에서 이미 제기된 것이다. Francisco de Hollanda, *Vier Gespräche Über Die Malerei Geführt Zu Rom 1538*, Joaquim de Vasconcellos (trans.), Wien: Verlag von Carl Graeser, 1899. pp. 104-107 참조; '키메라'와 같은 환영적 이미지의 이러한 경계확장 또는 생물학적 현실화에 관한 미학적 논의는 신승철, 「제2의 창조자로서의 예술가: 바이오테크와 예술적 자유」, 『현대미술학회 논문집』 16, 2012, pp. 69-120, 특히 p. 91 ff를 보라.
31) Nicole C. Karafyllis, 앞의 논문, 같은 곳.
32) 계몽주의의 실패와 휴머니즘의 대안으로서의 바이오테크에 관한 논의와 논쟁은 페터 슬로터다이크, 『인간농장을 위한 규칙』, 이진우, 박미애 옮김, 한실사, 2004, pp. 39-85 참조.
33) 바이오팩트의 이러한 속성은 카라필리스에 의해 식물의 생장에 비유되고, 자연스

실을 언제나 전제한다.[34] 그것은 분명 살아있다. 하지만 하버마스의 표현대로, 그것은 "스스로가 저자로서 자신의 삶을 영위"[35] 할 수 없다. 바이오팩트는 제작된 인공물이고, 명확한 의도를 지니고 기술을 투입한 "제작자(Urheber)"[36]를 갖기 때문이다. 그래서 그것은 신화적 세계의 다른 한편에서 "내생적 디자인(endogenous design)"[37]의 관념과 연결된다. 제작자는 특정한 기획 속에서 생명 활동에 개입하고, 그 방향 조절을 시도한다. 분명 생장은 생명체 고유의 현상, 즉 자연에 속하는 것이지만, 인간은 그 조건을 결정하면서 그것을 기술과 디자인의 영역 속으로 밀어넣는다. 그래서 기술 개입 이전의 바이오팩트의 고유한 상태는 존재하지 않는다. 그것은 스스로 자라고 무엇이든 될 수 있지만, 그 생장의 방향은 인간에 의해 통제된다.[38] 그것은 신체 외부에서 시뮬레이션, 모방, 이식 같은 기술적 방법론과 결합됨으로서, 신화적 상상에서 벗어나 기술적 신체가 된다. 신체의 일부였던 그것은 그로부터 나와 새로운 의미를 체화한다.[39] 바이오팩트는 기술적 개입을 통해 변화를 겪는다. 생장을 위한 잠재성 이

럽게 생물학으로의 편입이 시도된다. Nicole C Karafyllis. "Zur Phänomenologie des Wachstums und seiner Grenzen in der Biologie", in: *Grenzen und Grenzüberschreitungen*, W. Hogrebe (ed.), Bonn: Akademie, 2002, pp. 579-590 참조.

34) Nicole C. Karafyllis, "Das Wesen der Biofakte", in: *Biofakte: Versuch über den Menschen zwischen Artefakt und Lebenwesen*, Paderborn: mentis, 2003, pp. 11-26, 특히 p. 15.

35) 위르겐 하버마스, 『인간이라는 자연의 미래: 자유주의적 우생학 비판』, 장은주 옮김, 2002, p. 73.

36) Nicole C. Karafyllis, "Die Gesundheit Humaner Biofakte", in: *Scheidewege: Zeitschrift für Skeptisches Denken* 32, 2002/2003, pp. 77-93, 특히 p. 82.

37) Nicole C. Karafyllis, "Endogenous Design of Biofacts: Tissue and Networks in Bio Art and Life Science", in: *sk-interfaces: Exploring Borders - Creating Membranes in Art, Technology and Society*, Jens Hauser (ed.), Liverpool: Fact & Liverpool University Press, 2008, pp. 43-58 참조.

38) 이러한 관념은 의료용으로 상업화 된 신체 조직의 소유권을 둘러 싼 논쟁과 재판 등을 통해 명확히 확인된다. 로리 앤드루스, 도로시 넬킨, 『인체 시장』, 김명진, 김병수 옮김, 궁리, 2006.

39) 이러한 변용은 아마존 토양 샘플 채취에 관한 브루노 라투르의 유명한 논고를 통해 이미 잘 알려져 있다. 라투르는 채취된 샘플이 대지에서 제거됨으로써 기존의 컨텍스트에서 벗어나 새로운 과학적 지시관계 속에 놓이게 되는 상실과 획득의 연쇄적 프로세스를 설득력 있게 논증했었다. Bruno Latour, *Pandora's hope : essays on the reality of science studies*, Cambridge and MA: Harvard University Press, 1999, pp. 24-79.

물신과 생명: 문화적 경계 위의 바이오 아트

외의 어떠한 내적 특질로도 수식되지 않던 그것은, 이제 기술적으로 새롭게 규정되고 새로운 형식을 부여 받은 채 자연에 등장한다. 그리고 그것과 얽혀있는 사회와 문화, 제도, 그리고 무엇보다도 신체관념 등의 복잡한 네트워크에 충격을 준다.[40]

II-2. 신화적 괴물

스텔락(Stelarc)의 괴물적 신체(그림 7)는 신체 조직의 이러한 기술적 변용의 경로 위에서 발견된다. 그의 팔에 이식된 제3의 귀는 '베이컨티 쥐(The Vacanti mouse)'의 인

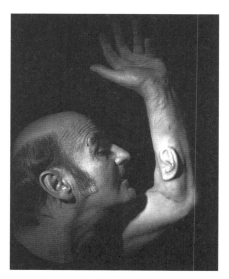

그림 7 스텔락, 〈추가된 귀: 팔에 귀〉, 2006

간학적 적용이다. 1997년 베이컨티 형제는 환자의 신체 조직을 쥐의 등에서 귀 모양으로 배양하는데 성공했고,[41] 이를 통해 본격적인 조직 공학(tissue engineering)의 시대를 열었다.[42] 그동안 인간과 쥐의 결합을 시도한 수많은 연구들이 있었지만, 어느 누구도 베이컨티 형제만큼 생명의 기술적 활용을 쉽게 인식시킨 사람은 없었다. 쥐의 등에서 배양된 귀, 즉 그 신체 기관의 분명한 형상은, 신화 속 키메라의 다른 한편에서 바이오팩트와 연결되는 '내생적 디자인'의 관념을 다시 한 번 확인한다. 그 '부드러

---

40) 브뤼노 라투르, 『우리는 결코 근대인이었던 적이 없다』, 홍철기 옮김, 갈무리, 2009; 홍성욱 엮음, 『인간·사물·동맹: 행위자네트워크 이론과 테크노사이언스』, 이음, 2010 참조.

41) Y. Cao, J. P. Vacanti, K. T. Paige, J. Upton, and C. A. Vacanti, "Transplantation of Chondrocytes Utilizing a Polymer-Cell Construct to Produce Tissue Engineered Cartilage in the Shape of a Human Ear", in: *Plastic and Reconstructive Surgery* 100, 1997, pp. 297-302.

42) 조직공학의 발전과정에 관한 역사적 접근은 Hannah Landecker, *Culturing Life: How cells became technologies*, Cambridge, MA, and London: Cambridge University Press, 2007을 보라.

운(soft) 보철'은, 기존의 세포와 분자 차원에서 진행된 융합 실험들과는 다르게, 인공 장기의 제작이라는 의학적 목적을 노골적으로 드러낸다. 조직은 배양되고, 기능과 형태를 갖게 될 것이다. 그것은 예수의 신체 대신 쥐의 몸 속에서 구원의 가능성을 잉태한다.

스텔락은 온코마우스와 베이컨티 쥐의 자리에 자신의 신체를 둔다. 그 신체들 사이의 내적 상동성(internal homolgy)은 기술적 구원의 희망에서 비롯된다. 하지만 스텔락은 희생에 기초한 구원을 원하지는 않았다. 그는 쥐의 신체 없는 인공 귀의 제작을 꾀했고, TC&A(The Tissue Culture & Art

그림 8 스텔락, 〈추가된 귀: 1/4 스케일〉, 2002

Project)의 도움을 받았다. 1996년에 결성된 TC&A는 베이컨티 형제의 성취에 대단히 고무되었지만,[43] 살아있는 생명체를 질료로 활용하면서 발생하는 "희생"[44]의 문제를 심각하게 고민하고 있었다. 그들은 바이오팩트의 조형 가능성을 탐구하는 동시에 동물의 희생을 방지하고자 했고, 자연스럽게 조직 공학 기술을 방법론으로 선택했다. 그들은 쥐의 신체 대신 바이오리액터(bioreactor)를 활용했다. 인간의 세포는 마치 '밭에 뿌려진 씨'[45]처럼 귀 모양의 폴리머(polymer)에 이식되었고, 바이오리액터로 옮겨

43) Oron Catts and Ionat Zurr, "Semi-Living Art", in: *Signs of Life: Bio Art and Beyond*, Eduardo Kacs (ed.), MA: The MIT Press, 2007, pp. 231-247, 특히 p. 233.

44) Oron Catts and Ionat Zurr, "The Ethics of Experiential Engagement with the Manipulation of Life", in: *Tactical Biopolitics: Art, Activism, and Technoscience*, Beatriz da Costa and Kavita Philip (ed.), Cambridge and MA: The MIT Press, 2008, pp. 125-142, 특히 p. 131.

45) Nicole C. Karafyllis, "Endogenous Design of Biofacts: Tissue and Networks in Bio Art and Life Science", in: *sk-interfaces: Exploring Borders - Creating Membranes in Art, Technology and Society*, Jens Hauser (ed.), Liverpool: Fact & Liverpool University Press, 2008, pp. 43-58, 특히 p. 49.

졌다. 조직은 미리 정해진 형태대로 신체 외부에서 배양되었고, 4분의 1 크기의 인공 귀가 완성되었다(그림 8). 바이오팩트는 분명 생명의 속성을 내재한다. 그것은 살아있고 자라난다. 하지만 그것은 단순히 변화가능한 물질만은 아니다. 그것의 생장은 제작자의 의도를 따르는 형태와 기능을 만들어낸다. 여기서 예술적 디자인과 바이오테크,[46] 대상과 생명,[47] 자연과 기술[48] 사이의 결합이 발생한다. 그리고 신체 외부와 내부의 경계 역시 사라지게 된다.[49] 신체 내부의 조직들은 외부에서 배양되고, 거기서 생성된 기관들은 다시 신체로 이식될 것이다. 하지만 기술적으로 통제된 그 생명은 역설적으로 스텔락 신체의 경계를 허물고, 그를 키메라로 만든다. 스텔락과 쥐의 신체의 내적 상동성은 이렇듯 기술적으로 확인된다.

스텔락의 인공 귀는 사실상 결핍의 산물은 아니다. 그 '과잉' 기관은 스텔락의 몸에서 신화적, 종교적 상상력을 현실화한다. 보철은 신체를 확장시키고, 기술은 디자인 가능성의 다른 한편에서 통제할 수 없는 신화적 상상과 욕망을 따르게 된다. 실제로 오늘날 계속되고 있는 보철의 발달과 그것의 "무한한 연속"[50]은 다시금 신화적 세계의 해방과 연결된다. 이렇게 볼 때, 귀 셋 달린 스텔락의 신체는 신화 속 머리 셋 달린 '키메라'[51]의 체현에 다름없다. 디자인의 관점에서, 분명 바이오팩트는 신화적 상상력의 기술적 통제를 위한 개념이다.[52] 하지만 미디어이면서 동시에 스스로 활동하는[53] 그것은 여전히 그 세계와 관계하고 있는 것으로 보인다. 그것은 우리의 본래적

---

46) Oron Catts and Ionat Zurr, "Semi-Living Art", in: *Signs of Life: Bio Art and Beyond*, Eduardo Kacs (ed.), MA: The MIT Press, 2007, pp. 231-247, 특히 p. 233.

47) Oron Catts and Ionat Zurr, 같은 논문, p. 232.

48) Nicole C Karafyllis, "Zur Phänomenologie des Wachstums und seiner Grenzen in der Biologie", in: *Grenzen und Grenzüberschreitungen*, W. Hogrebe (ed.), Bonn: Akademie, 2002, pp. 579-590; Jutta Weber, *Umkämpfte Bedeutungen: Naturkonzepte im Zeitalter der Technoscience*, Frankfurt am Main: Campus Verlag, 2003.

49) Jens Hauer (ed.), *sk-interfaces: Exploring Borders - Creating Membranes in Art, Technology and Society*, Liverpool: Fact & Liverpool University Press, 2008 참조.

50) 장 보드리야르, 『시뮬라시옹』, 하태완 옮김, 민음사, 2001, p. 172.

51) 헤시오도스, 『신들의 계보』, 천병희 옮김, 도서출판 숲, 2009, 321, p. 56.

52) Nicole C. Karafyllis, "Das Wesen der Biofakte", in: *Biofakte: Versuch über den Menschen zwischen Artefakt und Lebenwesen*, Paderborn: mentis, 2003, pp. 11-26, 특히 p. 14.

53) 도구이자 생명, 그리고 무엇보다 '활동'하는 미디어로서의 '바이오미디어

신체 관념, 또는 신체의 형태를 부인한다.[54] 그것은 만들어진 것과 자생적으로 자라난 것 사이의 경계를 흐릿하게 하고, 새로운 신체의 이미지를 형성한다.[55] 하지만 스텔락은 자신의 신체 위에 그러한 시각적 이미지를 구현하는 것으로 만족하지 않았다. 그는 〈추가된 귀〉를 단순한 "부조"[56]로 간주하지 않았다. 그는 그것이 모두가 공유할 수 있는 기관이 되길 원했고, 이를 위해 엄청난 신체적 고통을 감내했다. 스텔락은 TC&A가 제작한 귀가 너무 작아 보기 좋지 않다는 이유로 그것을 몸에 이식하지 않았다.[57] 물론 실제로도 그것은 의학적으로 불완전한 '신체 없는 기관'[58]에 지나지 않았다. 대신 그는 자신의 몸에서 직접 귀를 배양하기로 결정했다. 그는 관자놀이 근처에 그것을 이식하려 했으나, 상대적으로 높은 위험도로 인해 그것 역시 포기했다. 결국 그는 왼쪽 팔뚝의 피부를 확장기를 이용해 늘렸고, 그 자리에 귀 모양의 메드포(Medpor)를 삽입했다. 그의 팔뚝 피부의 세포조직들은 그 보형물을 채우면서 귀 모양으로 자라났다. 그리고 그 세 번째 귀는 자연스럽게 그의 피부 조직의 일부가 되었다. 하지만 스텔락은 그 귀에 마이크를 삽입하는 또 한 번의 수술을 기획하고 있다. 사실 그것은 메드포를 삽입한 두 번째 수술에서 이미 시도되었는데, 심각한 염증으로 인해 바로 제거 되었었다. 당시 감염으로 인해 스텔락은 병원 신세를 져야했고, 마이크를 제거한 후에도 강력한 항생제를 3달이나 복용해야 했다.

　마이크 삽입은 이러한 고통을 감수할 만큼 중요한 문제였다. 스텔락은 베이컨티 쥐의 희생은 막았지만, 고통 자체를 소멸시키지는 못했다. 그는 폭력과 희생을 스스

(biomedia)'의 관념은 Eugene Thacker, *Biomedia*, Minneapolis: University of Minnesota Press, 2004에서 소개되고 있다.

54)　슬라보예 지젝,『신체 없는 기관: 들뢰즈와 결과들』, 도서출판 b, 2006, p. 249.

55)　이러한 맥락에서 보드리야르는 신체가 "인공신체들의 무한한 연속에 불과하다"고 주장했다. 장 보드리야르, 앞의 책, 같은 곳.

56)　Jens Hauser, 앞의 책, p. 176.

57)　이 '신체 없는 기관'의 이미지와 그 상세한 내용에 관해서는 http://stelarc. org/?catID=20240 (마지막 접속2014년 3월 10일)을 보라.

58)　이에 관한 철학적 논의는 슬라보예 지젝, 앞의 책 참조; 지젝은 이 개념을 통해 들뢰즈의 비판적 해석과 수용을 시도했으나, 잠재성 개념의 '후경화'로 인해 '최악의 들뢰즈 해석'이라는 오명을 얻었다. 그렉 램버트,『누가 들뢰즈와 가타리를 두려워하는가?』, 최진석 옮김, 자음과 모음, 2013, p. 205 ff; 스텔락 역시 자신의 팔에서 직접 인공 귀의 배양을 시도함으로써 '신체 없는 기관'의 관념을 폐기한다.

로 체화했고, 마치 신의 아들처럼 자신의 인공 귀를 모두에게 내어주길 원했다. 그의 세 번째 귀는 블루투스 중계기(bluetooth transmitter)를 통해 인터넷에 연결되고, 만약 염증이 다시 발생하지 않는다면, 모두를 위한 기관이 될 것이다. 웹상의 사용자들은 그가 듣는 소리를 함께 들을 수 있을 것이고, 그의 몸이 있는 곳에 그들의 청각 기관 역시 현전하게 될 것이다. 스텔락은 〈추가된 귀〉를 통해 자신의 몸을 '다중의 신체(the body multiple)'로 만든다. 그리고 '이것이 내 몸이다'라는 나르시스적인 선언의 성공적이고 윤리적인 안착을 시도한다. 불필요한 기관의 이식, 즉 '과잉'은 나르시스적인 자기 과시가 아닌 '모두를 위한' 것이 되고, 그 기술적 제작은 구원의 프로세스로 변용된다. 이것은 바이오테크의 약속이다. 진보와 강화의 신념 속에서[59] 그것은 본래적 신체로의 회귀가 아닌 더 나은 신체로의 변화를 꾀한다. 하지만 다른 한편에서 누군가의 희생 또는 "깨끗하고 가벼운 자기로부터의 추방"[60]이라는 대가 역시 요구된다. 바이오테크는 신체를 혼성적인 것(hybrid)으로 만들고,[61] 신화적 변신을 위해 다시금 육체의 희생을 요구한다.

바이오팩트의 관념은 이러한 이중성 속에서 확립된다. 이른바 '기관 없는 신체'로서의 세포 조직의 내재적 역량은 '이것은 내 몸이다'라는 자기희생의 말과 북유럽인의 괴물적 신체 사이의 변증법적 긴장 속에서 확립된다. 신체에서 떨어져 나온 생체 조직은 단순한 실험의 대상이 될 수도, 주체를 구성하는 대체 기관이 될 수도, 또는 아예 폐기물이 될 수도 있다. 기술은 그 '다중적 신체'의 내적 특질의 통제를 시도한다. 그것은 성체를 대신해 구원을 약속하고, 그 디자인 가능성을 꿈꾼다. 조직을 다시 신체로 돌려놓기 위해 그것은 상징의 역할을 기꺼이 떠맡는다. 그것은 조직에 기능과 형태를 부여하고, "신체를 사회적, 제의적, 은유적 실체가 아니라"[62] 기술적 장소

---

59) 이와 관련된 생명윤리학적 비판은 마이클 샌델, 『생명의 윤리를 말하다: 유전학적으로 완벽해지려는 인간에 대한 반론』, 강명신 옮김, 동녘, 2010, 그리고 위르겐 하버마스, 『인간이라는 자연의 미래: 자유주의적 우생학 비판』, 장은주 옮김, 2002를 보라.
60) 다나 J. 해러웨이, 앞의 책, p. 104 f.
61) 기본적으로 정화(purification)를 추구하는 근대 기술과학의 이러한 역설은 브뤼노 라투르, 『우리는 결코 근대인이었던 적이 없다』, 홍철기 옮김, 갈무리, 2009를 보라.
62) 로리 앤드루스, 도로시 넬킨, 앞의 책, p. 15.

(locus technicus)[63]로, 그리고 때로는 "공리주의적 사물"[64]로 만든다. 하지만 이러한 기술적 변용의 경로 위에서 다시금 물신과 신화적 괴물이 등장하게 된다.

앞서 언급했듯이 바이오팩트는 신체를 재현하면서, 동시에 그 관념을 구성한다. 비록 예측할 수 없는 변화를 겪는다고 해도, 본래 신체에서 나온 그것은

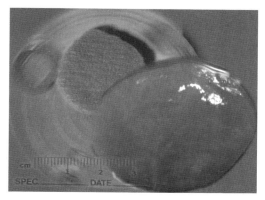

그림 9 TC&A, 〈육체와 분리된 요리〉, 2003

언제나 신체와의 연결 속에서 논의될 것이다.[65] 그리고 이러한 불분명한 지시 관계에 기초해, 기술적 재현으로서의 바이오팩트는 결국 자기 자신을 신체 자체로 주장하게 될 것이다. 신화적 세계와 자연 공포의 통제를 위한 기술적 시도는 그래서 다시금 위기를 맞게 된다. 바이오팩트는 우리가 처음부터 지금과 같은 신체의 형태를 가진 것은 아니라는 사실을 강조하면서,[66] 신체의 경계를 시험한다. 그리고 거기서 형성되는 주체의 관념 역시 "아무 것도 아닌 것"[67]으로 만들어 놓게 될 것이다. 신체와 주체, 인간과 같은 전통적 관념들은 해체되고, 만들어진 것과 자생적인 것,[68] 주체와 객체, 인간과 비인간, 자연과 기술, 대상과 존재 사이의 불분명한 경계선 역시 제거된다. 바이오테크는 상징의 역할을 대신하지만, 그 통제 기능은 여전히 불완전하고, 오히려 상징에 갇혀 있던 예측할 수 없는 생명의 에너지의 해방 또는 현실화가 연출된다. 옛 상징의 역할을 충실히 이행해야 하는 기술과학의 대책은 이제 두 가지로 요약

63) Hannah Landecker, 앞의 책, p. 213.
64) 로리 앤드루스, 도로시 넬킨, 앞의 책, 같은 곳 참조.
65) 브루노 라투르의 용어를 빌자면, 이것은 '순환적 지시관계'로 명명될 수 있을 것이다. Bruno Latour, *Pandora's hope : essays on the reality of science studies*, Cambridge and MA: Harvard University Press, 1999, pp. 24-79.
66) 슬라보예 지젝, 앞의 책, p. 249.
67) 슬라보예 지젝, 같은 책, p. 255.
68) 이러한 차이의 사라짐으로 인해 발생되는 윤리적 문제와 그 대안에 관한 논의는 위르겐 하버마스, 앞의 책을 보라.

된다. 신화적 세계의 존재 자체를 간과해버리거나, 아니면 상징의 힘을 다시 빌리는 일이 그것이다.

III. 제의적 생명
III-1. 헐벗은 삶

바이오팩트의 관념은 생명체의 자유로운 생장과 그것의 통제의 시도 속에서 확립된다. 하지만 양자는 모두 신화적 세계의 해방을 향해 흘러가고, 우리는 괴물적 신체의 등장을 다시금 경험하게 된다. 파편화된 생체 조직과 기관들은, 마치 기생충이나 바이러스처럼, 신체에 침투해 그것을 점유하고, 그 형상과 관념을 바꾸어 놓을 것이다. 다양한 세포주들이나 유전물질, 보철 등은 스스로 신체가 되고, '내 몸 속의 그것'[69]에 대한 불안을 끊임없이 양산한다. 생명의 활동을 통제하고 그것의 유용한 변형을 꾀하는 바이오팩트의 디자인 관념은 그래서 다시 한 번 강조된다. 그것은 신화적 세계로부터 안전선을 치고, 신체에 침투하려는 생체 조직의 완전한 통제를 지향하기 때문이다.

TC&A의 〈희생자 없는 유토피아(Victimless Utopia)〉 시리즈는 기술적으로 통제된 조직의 메타이미지(metapicture)를 보여준다. 하지만 〈육체와 분리된 요리(Disembodied Cuisine)〉(2000-2003), 〈희생자 없는 가죽(Victimless Leather)〉(2004), 〈DIY 희생시키지 않는 사람들(DIY De-Victimizers)〉(2006)로 구성된 이 시리즈는, 생명의 기술화에 수반되는 '희생' 역시 염두에 둔다. 이 작품들에서 TC&A는 유용한 대상의 제작을 위해 조직 공학을 활용했다. 그들은 생체 조직을 바이오리액터에서 배양했고, 먹을 수 있는 고기(그림 9)와 가죽 재킷(그림 10)을 만들어냈다. 베이컨티 쥐의 등장 이후, 급격하게 발달한 조직 공학은 손상된 조직과 장기를 대체할 수 있는 신체 기관의 제작을 시도하면서 그것을 대상화, 상품화했다. 신체로 이식되기 이전의 그것들은 하나의 상품이며, 그것의 공여자와도 이식 대상자와도 분리된 채 존재한다. 일종의 개재자(in-

---

69) Jane Bennett, *Vibrant Matter: a political ecology of things*, Durham and London: Duke University Press, 2010 참조.

생명

168

between)로서 그것들은, 스텔락이 폐기한 〈추가된 귀: 1/4 스케일〉(그림 8)처럼, '신체 없는 기관'으로 머무는 듯 보인다. 실험실의 세포주나, 이식을 위해 제작된 기관들, 그리고 유전물질들은 오늘날 기술적으로 관리 가능한 공리주의적 사물로 간주된다.[70] TC&A의 고기와 가죽은 이러한 바이오팩트의 현실을 대변한다. 바이오리액터안의 생명은 존중받지 못한다. 그것들은 오직 동물의 희생을 방지하기 위해 제작된 대상들이다. TC&A는 고기와 가죽을 얻을 때 필연적으로 수반되는 동물의 죽음을 염두에 두었고, "희생자 없

그림 10 TC&A, 〈희생자 없는 가죽〉, 2004

는 고기"[71]와 가죽의 제작을 시도했다. 하지만 다른 한편에서 그들은 그러한 바이오팩트의 실존에 비판적으로 접근했다. TC&A는 그들의 바이오팩트를 '반생명체(Semi-Living)'로 간주했다. 그것은 인간과 비인간, 주체와 객체, 생명과 죽음 사이에서 진동하는 모호한 대상이라는 것이다. 실제로 그들의 〈희생자 없는 가죽〉은 쥐의 세포인 3T3과 인간에게서 나온 HaCat으로 구성된 세포주를 이용해 제작되었다. 또한 그것은 멸균상태에서의 세심한 보살핌이 필요한 생명체이지만, 결국에는 가죽 재킷이 된다는 점에서 인공물이기도 하다. 하지만 실험실에서, 의료 시장에서, 그리고 전시장에서 그것들은 대상화되고, 그 생명성은 애써 무시된다. 그것들은 공리적 사물이나 전

---

70) 로리 앤드루스, 도로시 넬킨, 앞의 책; 레베카 스클루트, 『헨리에타 랙스의 불멸의 삶』, 김정한, 김정부 옮김, 문학동네, 2012 역시 이러한 경향에 대한 비판적 관점을 보여준다.

71) Oron Catts and Ionat Zurr, "The Ethics of Experiential Engagement with the Manipulation of Life", in: *Tactical Biopolitics: Art, Activism, and Technoscience*, Beatriz da Costa and Kavita Philip (ed.), Cambridge and MA: The MIT Press, 2008, pp. 125-142, 특히 p. 131.

그림 11 TC&A, 〈바이오테크 예술〉 전에서 열린 만찬, 2003

시물, 또는 식용육 이상도 이하도 아니다. TC&A는 〈희생자 없는 요리〉에서, 이렇듯 동물의 생명과는 확연히 다르게 취급되는 반생명체의 '헐벗은 삶(bare life)'을 조명한다.[72] 그들은 2003년 낭트(Nantes)에서 열린 〈바이오테크 예술(L' Art Biotech)〉 전에서, 개구리 골격근 세포를 배양해 제작한 스테이크로 만찬을 베풀었다(그림 11). 프랑스인 요리사의 누벨 퀴진(nouvelle cuisine)이 참석자들에게 제공되었고, 그들은 '희생자 없는 고기'를 즐길 수 있었다.[73] 하지만 TC&A는 식탁 옆에 개구리를 가져다 놓음으로써, 참석자들이 그 조직의 기원을 확인할 수 있게 했다. 그들이 먹은 것은 사실상 개구리 신체의 일부였음에도, '육체로부터 분리된(disembodied)' 그것의 소비가 참석자들에게 윤리적 위안을 주고 있는 역설적 상황이 이로부터 폭로되었다.

TC&A의 '희생자' 시리즈에서는 이렇듯 '성체모독(Hostienfrevel)'이 재연된다. 유태인들이 성체를 단순한 물신으로 취급했듯이(그림 2), 대속자로서의 바이오팩트는 대상화된다. 그것은 가죽이자 식용육, 그리고 소비의 대상이자 물신이 된다. 그리고 〈DIY 희생시키지 않는 사람들(DIY De-Victimizers)〉(그림 12)를 통해 훼손당한 성체의 성변화가 연출된다. 이 작품은 신체 조직의 생명을 유지하기 위한 조직 배양 세트(DIY De-Victimizer Kit)를 제공한다. 예술가는 이 도구들을 이용해, 분명히 죽었을 동물의 조직을 산 채로 유지 또는 배양하게 된다. 하지만 용도 폐기된 조직이 생생히 되살아나는 것을 목격하는 체험은, 유태인들의 놀람과 충격과는 다른, 윤리적 위안을 준다. 조

---

72) 아감벤은 생명(vita) 개념에서의 이러한 고립을 막기위해 '삶-의-형태'라는 개념을 제안한다. 조르조 아감벤, 앞의 책, p. 13 ff.

73) 배양된 식용육에 관한 일반적 논의는 Cor van der Weele and Clement Driessen, "Emerging Profile for Cultured Meat; Ethics through and as Design", in: *Animals* 3, 2013, pp. 647-662를 참조.

직 배양 퍼포먼스는 "인간 기술의 희생자들을 다시 부활시키고", 이를 통해 "죽은 동물을 소비하는 사람들의 죄책감"을 "가라앉힐" 것이기 때문이다.[74] 성체가 예수의 몸을 지시하듯이, 배양된 조직은 희생된 동물의 신체를 되살린다. 사람들은 자신들이 성체의 훼손자였음을 잊고, 오직 부활의 제의에만 관심을 쏟게 된다. 유태인이 받아야 했던 징벌 역시 그들을 피해 갈 것이다.

그래서 전시장의 관람객은 '먹이 공급 의식(feeding ritual)'에 기쁜 마음으로 참여하게 된다. 그들은 매일 바이오팩트의 배양액을 갈아주면서, 부활과 구원의 제의에 동참하게 된다. 하지만 바이오팩트의 생명을 보살피는 일은, 단지 이러한 제의가 지속되는 동안에만 가능하다. 전시를 마칠 때 쯤, 관람객들은 '죽임 의식(killing ritual)'에 참여할 것을 요구받는다. 전시 이후에 그 대상들은 더 이상 보호를 받을 수 없을 것이고, 제작자는 그 이전에 그것들의 운명을 결정지어야 한다. 2006년 바르셀로나에서의 전시의 경우, 관람객들은 죽은 소의 조직과 맥도널드 햄버거로 배양한 조직 중 하나를 선택해 오염시켜야 했다. 바르셀로나라는 장소의 특수성 덕분에 전자는 자연스럽게 투우 경기에서 소를 죽이는 의식과 연결되었고, 후자는 물론 육식을 위한 도살로 간주되었다. 관람객들의 선택에 따라 두 조직 중 하나는 대기 중에서 오염되고 죽게 될 것이다. 하지만 그들의 선택과 상관없이 이미 그 조직들의 운명은 미리 결정되어 있었다.[75] 대부분의 경우, 죽은 소는 곧 식용육이 되기 때문이다.

이러한 환원적 프로세스는 근대적이다. 바이오테크가 상징에 갇혔던 기괴한 생명들을 현실화시킨다고 해도, TC&A의 희생과 구원, 그리고 부활의 프로세스는 모두 전시, 즉 그들의 제의 속에서만 성립되기 때문이다. 그들의 반생명체는 단지 전시장에서만 생명으로 간주된다. 전시 이후 그 '대상'은 모두 폐기될 것이다. 마치 근대인들이 성체를 단순한 상징으로 환원하려했듯이, TC&A의 바이오팩트는 동물의 희생을

---

74) Adele Senior, "In the Face of the Victim: Confronting the Other in the Tissue Culture and Art Project", in: *sk-interfaces: Exploring Borders - Creating Membranes in Art, Technology and Society*, Jens Hauser (ed.), Liverpool: Fact & Liverpool University Press, 2008, pp. 76-82, 특히 p. 80.

75) Oron Catts and Ionat Zurr, "Towards a new class of being - The Extended Body", in: *artnodes: intersections between arts, science and technologies* 6, 2006, pp. 1-9, 특히 p. 8.

그림 12 TC&A, 〈DIY 희생시키지 않는 사람들〉의
퍼포먼스 장면, 2006

재현하는 육체적 이미지가 된다. 바부르크가 도상 속에 담아 둔 희생과 폭력은, 그 기술적 대상 위에 체화된다. 그리고 바이오팩트를 희생되어도 문제가 없는, 또는 현실에서 희생되어야만 하는 '대상'으로 간주하는 태도 속에서, 그것의 '헐벗은 삶'이 자연스럽게 주제화된다. 실제로 TC&A는 자신들의 반생명체의 삶을 아감벤의 '호모 사케르(homo sacer)'[76]에 투영했다.[77] 그것들은 모두 폭력적 죽음과 희생에 노출되어 있다는 점에서 유사하다.[78] 그러나 죽임당할 수 있지만 제의적 실천에 따라 아직은 죽지 않은 존재인 호모 사케르와는 다르게, 그들의 바이오팩트는 단지 제의 속에서만 생존할 수 있다. 그것을 공리적 사물이나 보철, 식용육과 같은 기술적 대상으로 환원시키려는 근대적 태도 속에서, 그 생명의 속성은 완전히 간과되어 버리기 때문이다. 바르셀로나 전시에서 TC&A가 배양한, 죽은 소의 조직은 그래서 따로 언급되어야 한다. 그들은 관광 상품으로 판매되는 작은 소 인형을 구입해, 죽은 소의 조직으로 그것을 뒤덮었다. 근대인들이 배척한 기술적 생명은 스스로 우상이 된다.[79] 생명을 품은 그 도상은 물신으로 나타나 우리를 만족시키고, 제의의 대상이 된다. 생명을 기술로 환원하려는, 또는 그것을 생명의 공동체로부터 배제하려는 근대적 태도 앞에서, 그것은 이렇게 자신의 생명을 보존한다. 그리고 원시 종교와 신화적 세계의 존속을 강조

---

76) 조르조 아감벤, 『호모 사케르: 주권 권력과 벌거벗은 생명』, 박진우 옮김, 새물결, 2008.

77) Adele Senior, "In the Face of the Victim: Confronting the Other in the Tissue Culture and Art Project", in: *sk-interfaces: Exploring Borders - Creating Membranes in Art, Technology and Society*, Jens Hauser (ed.), Liverpool: Fact & Liverpool University Press, 2008, pp. 76-82, 특히 p. 81 각주 20; 물론, 아감벤 역시 이러한 반생명체를 "벌거벗은 생명의 속화된 형태"로 이해 할 것이다. 조르조 아감벤, 『목적없는 수단: 정치에 관한 11개의 노트』, 김상운, 양창렬 옮김, 난장, 2009, p.19.

78) 물론 TC&A의 작품은 인간과 비인간 모두에게 공통적으로 해당하는 '희생'의 문제를 염두에 두고 제작된 것이다. Adele Senior, 앞의 인터뷰, p. 77 참조.

79) 출애굽기 32장의 금송아지 제작 장면 참조.

하는 우상이 된다.

III-2. 상징의 회귀

바이오팩트의 생명성은 신화적 세계의 도래와 키메라의 등장을 막기 위한 대상화의 시도로부터 탈주한다. 그리고 그러한 현대적인 우상의 등장은 다시금 상징의 활동을 요청한다. 즉, 테크노사이언스 시대의 상징의 활동은 기술로 통제되지 않는 바이오팩트의 생명성에 대한 반증이다. 줄리아 레오디카(Julia Reodica)의 〈하임넥스트 프로젝트(The hymNext Project)〉(그림 13)는 상징적 질서와 기술적 생명의 접속을 연출하고 있다. 이 작품은 기술과학적 사실(fact)과 물신(fetish)이 결합된 '팩티쉬(factish)'[80]를 통해, 성체가 제공하는 구원을 현실에서 상징적으로 재현하고 있다. 작가는 자신의 질에서 조직을 떼어내 배양했고, 이를 모든 사람이 함께 공유할 수 있는[81] 인공처녀막으로 만들었다. 사실상 그 조직은 레오디카의 질 조직뿐 아니라 남성의 표피세포, 그리고 쥐의 대동맥 세포가 혼합된 하이브리드(hybrid)였지만, 그것은 '다시 처녀되기(re-virginize)'[82]라는 "정화(purification)"[83] 또는 "재생의 제의"[84]에 활용된다. 바이오테크를 활용한 이 작품은 바부르크가 자신을 '해할 수 없다'고 자신했던 옛 우상들보다 훨씬 활동적이다. 스텔락의 귀처럼 그것은 신체로 이식되고, 이로부터 주체와 대상,

---

80) Bruno Latour, *Pandora's hope: essays on the reality of science studies*, Cambridge and MA: Harvard University Press, 1999, pp. 266-292.

81) 조직공학에서의 '공유경제(sharing economy)'의 문제는 신승철, 「생명윤리의 저편? 바이오 아트의 비판적 실천」, 『현대미술사연구』 33, 2013, pp. 167-198, 특히 p. 181 ff를 보라.

82) Julia Reodica, "Sacred & Sacrilege: Body Symbolism in Art & Culture", in: http://www.phoresis.org/index.php?option=com_content&view=article&id=16:sacredsac&catid=36:artresearch&Itemid=57 (마지막 접속 2014년 3월 10일).

83) Nicole C. Krafyllis, "Endogenous Design of Biofacts: Tissue and Networks in Bio Art and Life Science", in: *sk-interfaces: Exploring Borders - Creating Membranes in Art, Technology and Society*, Jens Hauser (ed.), Liverpool: Fact & Liverpool University Press, 2008, pp. 43-58, 특히 p. 45; 이러한 근대의 기술과학적 지향에 관한 비판적 논의는 브뤼노 라투르, 앞의 책을 참조하라.

84) Nicole C. Karafyllis, 앞의 논문, p. 44.

그림 13 줄리아 레오디카, 〈하임네스트 프로젝트〉, 2005.

인간과 비인간 사이의 경계를 흐리는 '행위자(actant)'가 될 것이기 때문이다.[85] 그리고 이러한 비인간 행위자의 활동이 가져 올 위기에 대처하기 위해,[86] 기술과학은 다시금 상징의 힘을 빌린다.[87] 그것은 "자신의 인공적 창조물들을 둘러싼 신비로부터 우리를 해방시키기는커녕," 그것을 물신화하고 "새로운 팩티쉬의 세계질서를 생산" 한다.[88] 언제나 '혼성화'를 수반하는 기술과학의 '정화' 프로세스는[89] 레오디카의 작

---

85) Bruno Latour, *Pandora's hope: essays on the reality of science studies*, Cambridge and MA: Harvard University Press, 1999, pp. 122 f 참조.

86) 이러한 맥락에서 푸코는 인간으로부터 비인간과 사물의 세계로의 역사의 이동을 역설한다. 그는 다음과 같이 쓰고 있다. "19세기는 다분히 정치적이고 사회적인 이유 때문에 인간의 역사에 더욱 첨예한 관심을 기울였다고 [...] 일반적으로 생각하는 경향이 있다. 그리고 이에 입각하여 인간이 만들어 낸 물건, 인간이 말하는 언어, 그리고 생명으로까지 인간에게서 발견된 역사성이 확장되었다고들 추정한다. [...] 그러나 실제로 발생한 것은 사실상 정반대의 사태이다. 사물이 먼저 고유한 역사성을 부여받았는데, 사물의 역사성은 동일한 연대기를 인간과 사물에 부과하는 연속 공간으로부터 사물을 풀어놓았다. 그래서 인간은 자신의 역사를 이루는 가장 명백한 내용을 거의 박탈당했다. [...] 인간은 이제 역사를 갖지 않는다." 미셸 푸코, 『말과 사물』, 이규현 옮김, 민음사, 2012, p. 502.

87) 이로부터 "우리는 결코 근대인이었던 적이 없다"는 브루노 라투르의 선언은 정당화된다.

88) W. J. T. 미첼, 『그림은 무엇을 원하는가: 이미지의 삶과 사랑』, 김전유경 옮김, 그린비, 2010, p. 50.

89) 정화에 다다르기 위한 혼성화의 프로세스는 근대의 기술과학의 역설을 보여준다. 브뤼노 라투르, 『우리는 결코 근대인이었던 적이 없다』, 홍철기 옮김, 갈무리, 2009; Eugene Thacker, *The Global Genome: Biotechnology, Politics, and Culture*, MA: MIT Press, 2005, p. 269 ff.

품에서 '제의'의 형식으로 시각화되고, 이로부터 신화적 괴물의 현실로의 등장은 유예된다. 작가가 크리스마스 쿠키 틀에서 배양한 다양한 형태의 처녀막들은 키메라의 탄생을 알리는 대신, 상징화의 프로세스를 따라 성물함에 담기게 된다. 마치 성체현시대에 안치된 성체처럼, 그 혼성적 존재는 상징이자 물신이 된다. 그것은 사실상 생물학적 기능이 불분명한 처녀막의 문화적, 상징적 의미 속에서 활동하고, 성별의 구분 없이 모든 이들에게 처녀성의 회복을 약속할 것이다.[90] 살아있는 생명으로서의 바이오팩트가 행하는 이러한 상징적 활동은, 언제나 실체변화를 가정하는 상징으로서의 예수의 성체를 역행한다. 하지만 모두의 구원을 위한 상징이자 물신으로서의 그 신체는, 괴물과 성체현시대, 세속적인 "이것이 내 몸이다"와 구원적인 "이것은 내 몸이다" 사이의 분열증적이면서도 평화로운 공존을 시도한다. 그래서 레오디카의 기술적 신체는 '옛 괴물 이미지의 진정한 후예'이면서, 동시에 바이오테크의 "희망이 있는 괴물"[91]이 된다.

물신은 바이오테크에 의한 신화적 세계의 해방의 경로 위에서, 그리고 그에 대한 반작용인 생명의 대상화, 상품화의 시도 속에서 등장한다. 비록 전통적으로 물신 숭배가 우리 문화 깊숙이 뿌리내리고 있는 것이 사실이라고 해도,[92] 자신의 생명을 애써 인정하지 않으려는 근대인들의 태도에 맞서 일종의 '신화적 전회'를 일으키는 바이오팩트의 활동은 특별하다. 그것은 성체를 대상화하려 했던 유태인들이 겪은 실체변화처럼, 자신의 상품화, 도구화 경향에 맞서 스스로 물신이자 우상이 된다. 통제되지 않는 생명력을 드러내면서, 그것은 근대인들의 욕망과 불신앙을 드러낸다. 상징의 활동은 이 지점에서 요청된다. 그것은 바이오팩트의 거친 생명력을 다스리고, 구원의 희망과 세속적 욕망 사이의 분열증적 공존을 유도할 것이다.

90) 젠더(gender)의 파괴와 관련된 이 작품의 페미니즘적 의미는 Aline Ferreira, "Our Cells / Our Selves: Sexual Politics in Bioart", in: *The Sicentific Imaginary in Visual Culture*, Anneke Smelik (ed.), Göttingen: V&R unipress, 2010, pp. 149-161에서 규명되고 있다.

91) 브루노 라투르, 「몸과 사이보그: 육체화의 정치학」, 『바디: 몸을 읽어내는 여덟가지 시선』, 쎈 스위니, 이안 호더 책임 편집, 배용수, 손혜숙 옮김, 2009, pp. 241-271, 특히 p. 262.

92) Hartmut Böhme, *Fetischismus und Kultur: Eine andere Theorie der Moderne*, Hamburg: Rowohlt Verlag, 2006 참조.

오늘날 바이오테크는 신화적 세계의 안전한 해방 또는 통제를 꾀하고, 희생과 폭력에 기초한 구원을 정당화하려 한다. 하지만 바이오팩트의 생명성은 언제나 그 불완전한 기획을 가로지른다. 신화 속 키메라들의 후예인 그것은 우상을 섬세하게 다룰 것을 주문했던 니체의 교훈을 상기시킨다. 옛 키메라들을 현실화할 수도, 반대로 그것들을 대상화시켜 파괴할 수도 없는 상황 속에서, 상징의 분열증적 본질은 '니체의 망치'를 대신한다. 우상을 파괴하는 대신 "소리굽쇠(Stimmgabel)" 두드리듯 그것의 울림을 냈던 니체의 망치처럼,[93] 상징의 활동은 도저히 파괴되지 않는, 그리고 자칫하면 걷잡을 수 없게 될 바이오팩트의 생명성의 조심스러운 진동을 만들어낸다. 이를 통해 기술과학은 인공적 생명체의 자율적 삶의 섣부른 파괴나 긍정의 시도가 아니라, 그것을 물신화하고 제의의 대상으로 삼는 법을 배운다. 이러한 기술과학의 퇴행적 태도는 점점 더 생명을 향해 다가가는 오늘날의 바이오팩트의 운동에 대한 반작용이다.

주제어(Keyword): 아비 바부르크(Aby Warburg), 이미지아틀라스 므네모시네 (Bilderatlas Mnemosyne), 성체(the Host), 상징(Symbol), 헐벗은 삶 (Bare Life), 바이오 아트(BioArt)

---

93) 프리드리히 니체, 「우상의 황혼」, 『니체 전집 15』, 백승영 옮김, 책세상, 2001, pp. 71-207, 특히 p. 74.

참고문헌

그렉 램버트,『누가 들뢰즈와 가타리를 두려워하는가?』, 최진석 옮김, 자음과 모음, 2013.

김기련,「마르틴 루터의 성찬 이해」,『신학과 현장』13, 2003, pp. 114-127.

다나 J. 해러웨이,『겸손한 목격자』, 민경숙 옮김, 갈무리, 2007, (NY, 1997).

다나카 준,『아비 바르부르크 평전』, 김정복 옮김, 휴먼아트 2013 (Tokyo, 2001).

마샬 맥루한,『미디어의 이해: 인간의 확장』, 박정규 옮김, 커뮤니케이션 북스, 2001.

마이클 샌델,『생명의 윤리를 말하다: 유전학적으로 완벽해지려는 인간에 대한 반론』, 강명신 옮김, 동녘, 2010, (MA, 2007).

미셸 푸코,『말과 사물』, 이규현 옮김, 민음사, 2012, (Paris, 1966).

레베카 스클루트,『헨리에타 랙스의 불멸의 삶』, 김정한, 김정부 옮김, 문학동네, 2012, (NY, 2010).

로리 앤드루스, 도로시 넬킨,『인체 시장』, 김명진, 김병수 옮김, 궁리, 2006.

브루노 라투르,「몸과 사이보그: 육체화의 정치학」,『바디: 몸을 읽어내는 여덟 가지 시선』, 씐 스위니, 이안 호더 책임 편집, 배용수, 손혜숙 옮김, 2009, pp. 241-271, (Cambridge, 2002).

브뤼노 라투르,『우리는 결코 근대인이었던 적이 없다』, 홍철기 옮김, 갈무리, 2009, (Paris, 1991).

슬라보예 지젝,『신체 없는 기관: 들뢰즈와 결과들』, 도서출판 b, 2006, (London, 2004).

신승철,「제2의 창조자로서의 예술가: 바이오테크와 예술적 자유」,『현대미술학회 논문집』16, 2012, pp. 69-120.

신승철,「생명윤리의 저편? 바이오 아트의 비판적 실천」,『현대미술사연구』33, 2013, pp. 167-198.

위르겐 하버마스,『인간이라는 자연의 미래: 자유주의적 우생학 비판』, 장은주 옮김, 2002, (Frankfurt am Main, 2001).

W. J. T. 미첼, 『그림은 무엇을 원하는가: 이미지의 삶과 사랑』, 김전유경 옮김, 그린비, 2010, (Chicago, 2005)

장 보드리야르, 『시뮬라시옹』, 하태완 옮김, 민음사, 2001, (Paris, 1981).

조르조 아감벤, 『호모 사케르: 주권 권력과 벌거벗은 생명』, 박진우 옮김, 새물결, 2008, (Torino, 1995).

조르조 아감벤, 『목적없는 수단: 정치에 관한 11개의 노트』, 김상운, 양창렬 옮김, 난장, 2009 (Torino 1996).

페터 슬로터다이크, 『인간농장을 위한 규칙』, 이진우, 박미애 옮김, 한실사, 2004.

프리드리히 니체, 「우상의 황혼」, 『니체 전집 15』, 백승영 옮김, 책세상, 2001, pp. 71-207.

헤시오도스, 『신들의 계보』, 천병희 옮김, 도서출판 숲, 2009.

호메로스, 『호메로스』, 천병희 옮김, 단국대학교 출판부, 2005.

홍성욱 엮음, 『인간 · 사물 · 동맹: 행위자네트워크 이론과 테크노사이언스』, 이음, 2010.

Bennett, Jane, Vibrant Matter: a political ecology of things, Durham and London: Duke University Press, 2010.

Böhme, Hartmut, Fetischismus und Kultur: Eine andere Theorie der Moderne, Hamburg: Rowohlt Verlag, 2006.

Cao, Y., J. P. Vacanti, K. T. Paige, J. Upton, and C. A. Vacanti, "Transplantation of Chondrocytes Utilizing a Polymer-Cell Construct to Produce Tissue Engineered Cartilage in the Shape of a Human Ear", in: Plastic and Reconstructive Surgery 100, 1997, pp. 297-302.

Catts, Oron and Ionat Zurr, "Towards a new class of being - The Extended Body", in: artnodes: intersections between arts, science and technologies 6, 2006, pp. 1-9.

Catts, Oron and Ionat Zurr, "Semi-Living Art", in: Signs of Life: Bio Art and Beyond, Eduardo Kacs (ed.), MA: The MIT Press, 2007, pp. 231-247.

Catts, Oron and Ionat Zurr, "The Ethics of Experiential Engagement with the Manipulation of Life", in: Tactical Biopolitics: Art, Activism, and Technoscience, Beatriz da Costa and Kavita Philip (ed.), Cambridge and

MA: The MIT Press, 2008, pp. 125-142.

Coole, Diana and Samantha Frost (ed.), New Materialisms: Ontology, Agency, and Politics, Durham and London: Duke University Press, 2010.

Dier, Michael, Schlagbilder: zur politischen Ikonographie der Gegenwart, Frankfurt am Main: Fischer, 1997.

Ferreira, Aline, "Our Cells / Our Selves: Sexual Politics in Bioart", in: TheScientific Imaginary in Visual Culture, Anneke Smelik (ed.), G ttingen: V&R unipress, 2010, pp. 149-161.

Gombrich, Ernst H., Aby Warburg: Eine intellektuelle Biografie, Hamburg: Philo & Philo Fine Arts, 2006, (London, 1976).

Harrison, Ross G., "Observation on the Living Developing Nerve Fibre", in: Proceedings of the Society for Experimental Biology and Medicine 4, 1907, pp. 140-143.

Harrison, Ross G., "The Cultivation of Tissues in Extraneous Media as a Method of Morphogenetic Study", in: Anatomical Record 6, 1912, pp. 181-193.

Hauser, Jens (ed.), sk-interfaces: Exploring Borders - Creating Membranes in Art, Technology and Society, Liverpool: Fact & Liverpool University Press, 2008.

Hollanda, Francisco de, Vier Gespräche Über Die Malerei Geführt Zu Rom 1538, Joaquim de Vasconcellos (trans.), Wien: Verlag von Carl Graeser, 1899.

Kac, Eduardo, "Tansgenic Art", in: Life Science: Ars Electronica 99, Gerfried Stockerand Christine Schöpf (ed.), Vienna and NY: Springer 1999, pp. 289-295.

Karafyllis, Nicole C. "Zur Phänomenologie des Wachstums und seiner Grenzen in der Biologie", in: Grenzen und Grenzüberschreitungen, W. Hogrebe (ed.), Bonn: Akademie, 2002, pp. 579-590.

Karafyllis, Nicole C., "Die Gesundheit Humaner Biofakte", in: Scheidewege: Zeitschrift für Skeptisches Denken 32, 2002/2003, pp. 77-93.

Karafyllis, Nicole C., "Das Wesen der Biofakte", in: Biofakte: Versuch über den Menschen zwischen Artefakt und Lebenwesen, Paderborn: mentis, 2003, pp. 11-26.

Karafyllis, Nicole C., "Endogenous Design of Biofacts: Tissue and Networks in
    Bio Art and Life Science", in: sk-interfaces: Exploring Borders - Creating
    Membranes in Art, Technology and Society, Jens Hauser (ed.), Liverpool:
    Fact & Liverpool University Press, 2008, pp. 43-58.

Landecker, Hannah, Culturing Life: How cells became technologies, Cambridge,
    MA, and London: Cambridge University Press, 2007.

Latour, Bruno, Science in Action: How to Follow Scientists and Engineers
    through Society, MA: Harvard University Press, 1987.

Latour, Bruno, Pandora's hope: essays on the reality of science studies,
    Cambridge and MA: Harvard University Press, 1999.

Latour, Bruno and Peter Weibel (ed.), Iconoclash: Beyond the Image Wars in
    Science, Religion and Art, MA: The MIT Press, 2002.

Reodica, Julia, "Feel Me, Touch Me: The hymNext Project", in: sk-interfaces:
    Exploring Borders - Creating Membranes in Art, Technology and
    Society, Jens Hauser (ed.), Liverpool: Fact & Liverpool University Press,
    2008, pp. 73-75.

Schenkel, Elmar, "Chimären im Buch des Lebens: Jorge Luis Borges und
    die Genetik", in: Scheidewege: Zeitschrift für Skeptisches Denken 32,
    2002/2003, pp. 94-105.

Schoell-Glass, Charlotte, "'Serious Issues': the Last Plates of Warburg's Picture
    Atlas Mnemosyne", in: Art History as Cultural History: Warburg's Projects,
    Richard Woodfield (ed.), London: Routledge, 2001, pp. 183-208.

Senior, Adele, "In the Face of the Victim: Confronting the Other in the Tissue
    Culture and Art Project", in: sk-interfaces: Exploring Borders - Creating
    Membranes in Art, Technology and Society, Jens Hauser (ed.), Liverpool:
    Fact & Liverpool University Press, 2008, pp. 76-82.

Thacker, Eugene, Biomedia, Minneapolis: University of Minnesota Press, 2004.

Thacker, Eugene, The Global Genome: Biotechnology, Politics, and Culture,
    MA: MIT Press, 2005.

Weber, Jutta, Umkämpfte Bedeutungen: Naturkonzepte im Zeitalter der

Technoscience, Frankfurt am Main: Campus Verlag, 2003.

Warburg, Aby, "Heidnisch-antike Weissagung in Wort und Bild zu Luthers Zeiten", in: Aby Warburg: Gesammelte Schriften Bd. II, Horst Bredekamp and Michael Diers (ed.), Berlin: Akademie Verlag, 1998, pp. 487-558 (Leipzig and Berlin, 1932).

Warburg, Aby, Schlangenritual: Ein Reisebericht, Berlin: Wagenbach, 1988.

Weele, Cor van der, and Clement Driessen, "Emerging Profile for Cultured Meat: Ethics through and as Design", in: Animals 3, 2013, pp. 647-662.

Life, Fetish, and the Culture of Bio Art

Shin, Seung-Chol (Gangneung-Wonju National University)

The biotechnology seems to fill in the role of the Host. Tissue engineering enables the growth of cell in vitro, and the religious miracle is substituted by technological life. The manufactured tissues replace the dysfunctional organs, and make visible a roseate future. The idea of body is, however, facing a crisis, while the organ could maintain it's own life. The autonomous cell cultures maintain itself as a body, and the conventional body is substituted by the weird and accidental life, which is formed by the uncontrolled growth.

The idea of biofact plays a decisive role at this point. It is based on the endogenous design, so that it prevent the advent of the chimeras. Biofact, which is the coinage of bios and artefact, denotes the biological artefact, which is alive. It grows by itself, but it haven't any autonomy - unlike the other natural life. It's because it has always it's creator. Biofact is produced as planned and intended, and for that purpose it should be controlled technically. But the technical control can not be performed as intended. Biotech tries to reduce the manufactured organ to utilitarian goods, but the biofact escapes from such reductionism while it maintains it's own life.

The technoscience, which tries to fill in the role of the religious symbol, the Host, be faced with difficulty at this point. The biotech brings the chimeras from the greek myth into reality, and it's product wouldn't be an object of sacrifice, but embody the form of life. Biofact prefer to be a fetish - confront the technological reductionism, and the rest, that cannot be goods, radiates the uncontrolled energy of life. The technological control is destined to failure, so that the technoscience takes the lesson of the modern, that uses symbol and image to treat the uncontrolled energy. The symbol bears the energy of things in itself, and in this regression it keeps the tension between technique and life.

생명

182

생명가치에 대한 위기를 중심으로 본
세월호 침몰사건의 언론보도 프레임 분석에 관한 연구
: 동아일보와 한겨레, 평화신문의
지면기사에 대한 내용분석

신일기(인천가톨릭대학교)

I. 서론

　　근대 과학혁명 이후 과학적 지식과 공학 기술의 눈부신 발전으로 인해 모든 인류는 과거 어느 때보다 풍요롭고 안락한 삶을 영위할 수 있게 되었으나 한편 이러한 발달은 인간 자체를 과학적인 탐구의 대상으로 삼아 인간의 생명과 존엄성을 경시하는 현상이 날로 증가하고 있다(이병래, 2004). 동시에 현대사회의 배금주의, 안락주의, 쾌락주의가 가져온 가치관의 혼란은 인간 생명의 존귀함과 가치가 단절되고 있다.

특히 우리 사회는 고속압축 발전을 이루면서 외래문화의 무분별한 도입과 고도의 산업화 과정에서 배금주의와 황금만능주의의 팽배로 생명 경시풍조가 심화되었고, 질서 의식의 붕괴로 도덕적 권위가 상실되었으며, 쾌락적 현세주의의 팽배로 퇴폐, 충동적 소비문화가 범람하는 등 사회적 병리 현상이 만연되어 있다(Lee, 2002).

이러한 현상은 대중매체를 통한 살인, 폭력, 자살 등의 내용이 무분별하게 묘사되고 좀 더 자극적인 것을 쫓는 대중과 이를 방조하는 미디어 산업화를 통해 더욱 고착화되는 실정이다. 또한 스마트폰 등의 새로운 미디어를 통한 사람들은 지속적으로 사이버 공간에 연결되어 상호작용 하면서 감성과 정서가 동반된 인간 간의 교류를 앗아가고 있는 상황으로 고립되고 있는 실정이다.

이러한 변화로 인해서 생명과 삶에 대한 사고가 변화되어 2013년 통계청 발표 결과 자살률 1만 4427명으로 인구 10만 명당 자살률이 28.5명으로 10년 전과 비교하면 26.5%가 증가한 수치로 OECD 평균(12.1명)의 두 배가 가까운 상황이며, 10대에서 국한된 자살률이 10, 20, 30대 전반에 확대된 것은 우리사회가 직면한 현실을 그대로 보여주는 자화상이라 할 수 있다.

이러한 현실을 해결하기 위해서는 가정, 사회, 종교, 언론 모두가 합심하여 생명이 본연에 가치와 의미 전달에 주력해야 하나 현실을 그렇지 못한 것이 일반적이다. 따라서 본 연구에서는 가장 광범위하고 직접적인 역할을 담당하고 있는 언론을 중심으로 이 문제에 대한 근원에 대해서 접근하고자 하였다.

그동안 언론학 분야에서 언론보도에 대한 내용분석을 위한 대중적인 접근 방법으로서 사용되어 온 프레이밍 분석(framing analysis)은 이러한 특정 쟁점에 대한 미디어의 영향력을 분석할 수 있는 유용한 이론적·방법론적 틀을 제공해 왔다(Hallahan, 1999). 프레이밍이란 어떤 문제의 특정한 버전을 부각시키고, 그것의 원인을 해석하고, 도덕적 판단을 부여하고, 기술된 문제의 해결을 처방하기 위해 지각된 현실의 특정한 측면을 선택과 삭제를 통해 강조하는 것을 말한다(Entman, 1993).

다시 말하면, 프레이밍이란 언론매체가 수용자에게 어떤 문제의 특정한 측면을 선택, 강조, 보도하는 반면, 그 외의 다른 측면은 배제하는 행위를 말한다. 따라서 프레이밍은 특정 사건이나 쟁점에 대한 언론보도의 뉴스 프레임이 어떤 것이냐에 따라 그 보도내용에 대한 수용자의 해석과 의견이 달라질 수 있다고 보는데, 결국 뉴스의 내용과 중요도의 영향력과 함께 '뉴스 스토리를 구성하는 방식' 자체가 뉴스 수용자의 의견형성에 보다 미묘하고 중요한 영향력을 행사한다고 할 수 있다(이준웅, 2001).

본 연구의 목적은 생명가치에 대한 위기 인식을 중심으로 세월호 침몰사건과 관련한 언론보도 프레임 분석을 통해, 미디어의 영향력에 기인되는 사건 프레임을 중심으로 각 미디어가 보이는 태도를 비교하고자 한 것이다. 이를 통해서 미디어가 일반 대중들에게 생명에 가치전달에 각각 어떠한 역할과 한계를 보였는가를 분석하고자 하였다.

II. 이론적 배경
II-1. 뉴스 프레이밍과 재난보도에 대한 선행연구

뉴스는 현실에서 특정한 부분을 선택하여 그 부분에 초점을 맞춰 문제를 제기한다. 엔트만(Entman, 1993)은 프레임을 파편화된 패러다임으로 규정하기도 하였다. 뉴스프레이밍이 저널리즘 연구에서 중요하게 다뤄지는 이유는 뉴스 구성 방식이 수용자의 해석에 영향을 미친다고 보기 때문이다. 즉, 프레이밍이란 하나의 과정으로서 한 사건의 특정 측면을 강조하는 동시에 또 다른 측면을 배제함으로써 그 문제에 대한 정의, 인과적 해석, 도덕적 평가나 해결방안 등을 활성화 하는 방식이라고 정의할 수 있다.

이러한 프레임은 뉴스 수용자들에게 효율적으로 조직되고 해석된 정보를 제공하게 된다. 이를 통해 수용자들은 자신을 둘러싸고 있는 정보의 흐름을 인식하고, 지각하며, 확인하고, 분류할 수 있도록 돕게 된다(Goffman, 1974).

이준웅(2001)은 갈등적 이슈에 대한 언론의 프레이밍 방식에 따라 뉴스 수용자의 현실에 대한 인식과 판단, 의견이 달라진다고 보았다. 즉, 언론이 기사 내용의 방향성을 결정하는 것 이외에도 기사 내용의 구조를 구성하는 방식이 수용자의 뉴스 인식, 판단에 영향을 미친다는 것이다. 대부분의 뉴스 프레이밍 연구는 수용자의 의견이나 해석이 형성되는 데 영향을 주는 뉴스 내용에 대한 분석을 위주로 진행되었다(민정식, 김연식, 2014).

우리나라는 안전불감증이라는 말이 심심치 않게 언급될 정도로 안전에 대해 좌시하여 사건이 발생되는 경우가 많다. 하지만, 세월호 침몰사건은 안전불감증 외에도 생명과 윤리에 대해 쉽게 생각한 국민정서가 특정 사건을 기점으로 일어난 것이라 볼 수 있다.

재난보도는 특정한 시점에 특정지역에 발생하여 인적, 물적, 정신적 피해를 초래하는 인재 또는 자연적 재해에 관련된 정보를 제공하는 언론활동이다(유승관, 강경수, 2011). 재난보도는 단순히 재난의 상황을 전달하는 것을 넘어 피해의 확산방지와 추가 피해를 예방하기 위해 정보를 전달하게 된다(이승희, 송진, 2014).

재난보도는 재난이 수습 된 상황에서 사고의 원인과 피해 규모 등에 대한 정리, 사회 안전 시스템에 대한 점검과 유사 재난 방지를 위해 제도적 방안을 심층적으로 전달할 필요가 있다(박동균, 2009). 다른 보도에 비해 재난사건이 가지고 있는 성격이 다르다. 그렇기에 재난보도는 피해자에 대한 접근과 이를 예방하기 위한 접근 등 다양하게 접근해야 한다.

1990년대 이후 대형 재난사고가 발생하면서 국내에서도 재난보도에 대해 다양한 연구가 이루어지고 있다. 이연(2008)은 국내의 재난보도 시스템의 필요성에 대해 권고하였다. 언론기관들은 대형 참사가 일어날 때마다 국민들로부터 질타를 받기도 하며, 선진화, 전문화된 재난보도 매뉴얼을 만들어 대응하는 것이 시급한 과제라고 지적하였다. 또한, 재난보도는 다른 보도에 비해 책임감을 가지고 철저하게 감시, 감독해야 한다고 언급했다.

재난, 재해와 관련하여 방송의 역할론을 제시한 연구도 있다. 지성우(2011)는 언론이 그동안 안보, 생명과 관련된 사안에 대해 어떠한 접근방식과 자세를 취해야하며, 인식 변화가 필요하다고 언급했다. 더욱이 선정주의적 보도, 한건주의식 보도, 황색저널리즘이 난무하고 단순히 의혹을 제기하는데 초점이 맞추어졌다는 점을 한계점으로 지적했다.

언론사에 따라 다른 성격을 보인다는 것을 언급한 연구도 진행되고 있다. 신진욱(2007)은 조선일보와 한겨레를 분석대상으로 선정하여 민주화 이후의 공론장과 사회

갈등에 대해 비교하였다. 다음의 연구를 통해 조선일보는 주로 대통령이 갈등 대상으로 언급되었으나, 한겨레는 노동단체와 시민단체를 주로 언급하였다. 유재웅, 조윤경(2012)은 동아일보, 한겨레를 분석대상으로 선정하여 서울 지역에서 발생한 폭설과 폭우 보도를 분석하였다. 다음의 연구를 통해 주로 피해상황을 전달하는 스트레이트 기사가 이용되는 결과를 나타냈다.

문제는 재난보도가 가져야 하는 태도를 언론사가 제대로 수행하고 있냐는 것이다. 대부분의 언론사는 언론사가 가지고 있는 성격에 따라 조금씩 다르게 전달된다. 이러한 과정에서 언론사가 가져야 할 직업윤리가 제대로 수행되는지 알아볼 필요가 있다.

II-2. 생명의 중요성에 대한 선행연구

생명은 식물이든 동물이든 상관없이 숨으로 정의하며, 그 대상을 숨 쉬는 생명체라고 정의한다(최창열, 1996). 생명존중은 생명에 대해 사람으로 지켜야 하는 도리와 규범을 인식하고, 인간 생명의 소중함을 깨닫는 것이다. 생명체를 함부로 해서는 안 된다는 의미이기도 하다. 하지만, 현대사회의 발전은 인간 생명의 존엄함과 가치에 대해 망각하게 한다.

이러한 망각으로 인해 생명존중의 정신이 위협받는 상황이 발생하게 된다. Yoshiyuki (2005)는 이러한 자살 행동을 촉진 또는 억제하는 요인 중 하나가 생명에 대한 생각이 중요한 역할을 한다고 제시하고 있다. Moon(2003)은 현재 지구촌 전체에 다양한 '위기'들이 이야기되고 있는데, 그러한 다양한 위기들 중 최고의 위기는 '생명의 위기'라고 지적하면서 이는 부분적이고 지역적인 문제가 아니라, 지구촌 전체에 그물망처럼 엮어져 있는 총체적인 문제라고 하였다.

근대 과학혁명 이후 과학적 지식과 공학 기술의 눈부신 발전으로 인해 모든 인류는 과거 어느 때보다 풍요롭고 안락한 삶을 영위할 수 있게 되었으나 한편 이러한 발달은 인간 자체를 과학적인 탐구의 대상으로 삼아 인간의 생명과 존엄성을 경시하는 현상이 날로 증가하고 있다(이병래, 2004). 동시에 현대사회의 배금주의, 안락주의, 쾌락주의가 가져온 가치관의 혼란은 인간 생명의 존귀함과 가치, 자연의 소중함을 망각하게 만들고 있다(배진희, 2010).

정재우(2015)의 전인적 – 인격주의적 관점의 생명윤리의 논의를 보면 인간의 몸이 지닌 의미를 이해하면 그 몸의 가치를 파악할 수 있고, 그에 따라 행동의 도덕성을 요구한다. 인간은 단일한 존재이므로 인간의 몸은 단순한 사물이나 물질보다 우월한 가치를 지닌다. 그래서 인간의 몸을 순전히 사물이나 도구처럼 다루는 것은 도덕적으로 허용되지 않는다. 인간의 몸은 객체나 소유물이 아니며, 오히려 존중해야 할 인격체이며 주체로서 존재한다.

현대 사회에서 강조되는 자율성·자기결정권 존중도 몸의 존중을 토대로 한다. 사실 몸이 침해·모욕당하고 나면 더 이상 존중을 말할 수 없는 것이다. 한 사람을 존중하는 데 있어 그의 몸을 존중하는 것 보다 더 일차적이고 직접적인 방법을 우리는 알지 못한다. 이런 존중의 이유는 몸이 소유물이기 때문이 아니라 바로 그 사람이기 때문이다. 몸의 존중이라는 원칙은 우리 모두에게 부여된 도덕적 책무이다.

이 원칙은 타인의 몸뿐만 아니라 '내 몸'에 관한 것이기도 하다. 각자는 자신의 몸을 보호할 도덕적 권리와 의무를 갖고 있는데, 그것은 자신의 생명과 신체적 온전성을 지키는 일이며 자신의 존엄성을 보존 하는 일이다. 물론 각 사람은 자신의 몸을 통해 행동하며 그런 의미에서 몸을 사용한다. 그러나 다른 사물을 사용하는 것과 같은 방식으로 몸을 사용할 수는 없다. 만일 누군가가 자신의 몸을 사물처럼 다룬다면, 그것은 자신을 사물처럼 다루는 일이 될 것이다.

그것은 자기 몸에 대한 비하이자 자기 자신에 대한 비하이며, 자신의 존엄성에 위배 되는 일이다. 인간의 깊은 단일성으로 말미암아, 그 누구도 자기 몸을 비하하면서 자신을 비하하지 않을 수는 없다. 또한, 자기 몸을 도구화 하면서 자기 자신을 도구화 하지 않을 수도 없다. 따라서 자기 몸을 한낱 도구로 쓰라고 넘겨주거나 그런 행위를 허용·동의하는 것은 도덕적으로 용인되지 못한다. 설사 본인이 자발적으로 동의했다 하더라도, 그 동의가 자신의 도구화를 정당화하지 못한다.

모든 생명체는 그 자신의 가치 즉 본래적 가치(inherent values)를 가지고 있으므로 생명 그 자체가 갖는 본래적이며 최고의 가치 앞에서, 모든 생명은 존중되어야 하며 단순히 도구적 가치만을 가지는 것으로 보아서는 안된다. 생명 그 자체로의 특별한 가치를 고려할 때 생명을 가진 존재는 모든 생명 앞에서 경외심을 가져야 하고(장정훈, 2002), 인간은 생명보전에 대한 책임이 있으며, 생명의 가치를 구현하기 위해 노력해야 한다.

이는 인간생명의 가치와 불가침성에 관한 교황 요한 바오로 2세의 회칙 「생명의 복음」에서도 잘 나타나 있는데 생명은 하느님의 소중한 선물이며 거룩한 존재인 인간 생명은 신성한 것이며 그 누구도 어떤 이유로 침해할 수 없는 하느님의 창조 영역인 것이다. 인간은 결코 생명의 주인이 아니고, 하느님의 주권 아래 자신의 생명을 관리하는 존재로서 서로의 생명을 돌보고 책임성 있게 전수하며 그 삶의 질을 높여 가도록 부름 받은 관리자일 뿐이다. "하느님께서 당신의 무조건적인 사랑으로 생명의 복음을 주셨고, 바로 이 복음으로 우리가 변화되고 구원되었기 때문에 우리는 생명의 백성이다. 그러므로 우리가 생명에 대해 봉사하는 것은 자랑이자 오히려 의무이다 1)."라고 하였다(정진석, 1999).

그러나 이러한 분명한 가치에 대한 논의에도 불구하고 현대의 교육과 미디어를 통해서 제시되는 내용들은, 분석적 사고만을 길들여 사물과 인간을 하나의 유기적 관계로 연결 짓지 못하고 생명의 소중함을 가르치기 보다는 인간과 자연을 분리시키고 생명의 위기를 간과해 온 것이 사실이다. 본 연구에서는 최근 일어난 세월호 참사 사건을 중심으로 우리사회에 만연한 생명의 경시와 진영논리에서 도구적으로 활용되는 현실에 대해 다뤄보고자 한다.

II-3. 세월호 침몰사건의 특수성

재난 및 안전관리 기본법 제3조 1호에 따르면 재난 및 재해의 법적 정의에 대하여, 자연재해 규모가 큰 인위적 재해를 재난으로 규정하고 있다(홍은희, 2014). 아직까지도 꾸준히 언급되는 세월호 침몰사건은 해상 교통사고에 해당한다. 우리나라는 해상교통수단을 활발히 이용하고 있기 때문에 크고 작은 해상 교통사고가 끊이지 않고 있다. 1993년 발생한 서해페리호 사건은 292명의 인명피해를 일으킨 대형 사건이다. 로로선은 많은 인원과 선박 등의 탑재로 사고가 일어나면 대형 사건으로 번진다는 점에서 특히 제대로 된 안전관리가 수행되어야 한다.

---

1) 「생명의 복음」. 79항 참조

우선, 세월호 침몰사건은 다른 대형사고와 달리 다양한 경로를 통해 정보가 퍼져 나갔다. 침몰하는 배 안에서 촬영한 사진과 동영상이 실시간으로 퍼져나갔고, 이에 대한 반응 또한 활발하게 이루어졌다(윤태진, 2014). 하지만 해양 교통사건이라는 점에서 접근성이 낮았고, 이로 인해 정부의 발표에 의존할 수밖에 없었다. 또한, 세월호 침몰사건은 동일 집단에 소속된 피해자가 전체 피해자의 대다수를 차지했다는 점이다. 안산 단원고 학생이 약 70%를 차지하였다. 사회적 보호대상인 청소년이 피해자였다는 것은 다른 재난사건보다 강력하게 다가왔다(홍은희, 2014).

사건의 진행과정을 지켜 본 이들이 많다는 점도 세월호 침몰사건이 가진 특징 중 하나이다. 세월호는 배의 우현이 기울어지기 시작하여 선미가 완전히 잠기기까지 2시간정도의 시간이 소요되었다. 구조작업이 진행되는 과정이 생중계되고 이 과정에서 언론조작과 같은 거짓된 증거가 드러나면서 국민들의 심리적 충격은 매우 컸다고 볼 수 있다.

이러한 문제로 인해 정부의 무능함과 언론사의 선정적이고 정확하지 못한 정보전달이 드러나기도 했다. 그동안 국내 재난보도는 근본적인 원인을 파헤치기 보다, 책임자 처벌요구나 수치적인 보도, 선정적이고 감정적인 보도로 치우쳐져 있었다. 이러한 부분은 많은 언론학자들이 꾸준히 지적하고 있는 점이기도 하다(유승관, 강경수, 2011).

재난보도는 재난 초기단계에서 국민의 상황 파악을 돕고 어떻게 대처할 것인가에 대해 정보를 전달해야 하기 때문에 무엇보다도 제대로 된 정보를 신속하고 정확하게 전달하는 것이 중요하다. 수습단계에서는 유사 재난의 원인과 정확한 피해 상황에 대해 재정리하며, 유사재난 발생에 대해 제도적 대책 수립을 할 수 있도록 여론 형성을 유도해야 한다(한국방송영상산업진흥원, 2005). 하지만 세월호 침몰사건은 사건이 가진 특수성으로 인해 여러 이야기를 양산하였다.

다른 재난사건과 달리 세월호 침몰사건은 정치적, 사회적, 문화적 의미에서 국민들 기억 속에 영원히 자리 잡을지도 모른다. 세월호 침몰사건에 대한 역사적 기록은 오랜 시간이 지난 후 정리 될 지도 모른다(윤태진, 2014). 하지만, 중요한 것은 세월호 사건 자체가 가지고 있는 여러 가지 의미를 하나씩 정리하는 과정이 필요하다는 점이다.

III. 연구문제

지금까지의 이론적 논의를 바탕으로 본 연구에서는 세월호 침몰사건과 관련된 언론보도에서 사용한 각 프레임의 구성과 매체에 따른 차이를 알아보고자한다. 구체적으로 말하면, 세월호 침몰사건과 관련된 언론보도에서 사용한 프레임을 사건 유형, 갈등 유형으로 구분하여 각 프레임에 따라 특성이 다를 것이라고 예상한다. 지금까지 논의된 이론적 배경을 바탕으로 다음과 같은 연구문제들을 제기하였다.

연구문제 1: 세월호 침몰사건과 관련된 언론보도에서 사용된 사건 유형 및 갈등 유형 프레임은 어떻게 구성되었는가?
　연구문제 1-1: 세월호 침몰사건과 관련된 언론보도에서 사용된 사건 유형 프레임은 어떻게 구성되었는가?
　연구문제 1-2: 세월호 침몰사건과 관련된 언론보도에서 사용된 갈등 유형 프레임은 어떻게 구성되었는가?

연구문제 2: 세월호 침몰사건과 관련된 언론보도에서 사용된 프레임은 신문사에 따라 어떻게 차이를 보이는가?

연구문제 3: 세월호 침몰사건과 관련된 언론보도는 촉발사건에 따라 어떻게 구성되었는가?
　연구문제 3-1: 세월호 침몰사건과 관련된 언론보도의 양은 촉발사건에 따라 어떻게 변화하는가?
　연구문제 3-2: 세월호 침몰사건과 관련된 언론보도에서 사용된 갈등 유형 프레임에서 촉발사건에 따라 '생명' 유형이 어떻게 변화하는가?

연구문제 4: 세월호 침몰사건과 관련된 언론보도에서 사용된 사진 프레임은 어떻게 구성되었는가?

IV. 연구방법

IV-1. 분석대상 선정 및 자료수집

본 연구는 세월호 침몰사건에 대한 언론보도 프레임 분석을 위해 2014년 4월 16일 사건 발생시점부터 2015년 1월 11일 기간 동안의 신문 기사를 분석 단위로 하여 내용분석을 실시하였다. 내용분석에 사용된 신문사로는 동아일보, 한겨레, 평화신문이며, 지면기사로 한정하여 분석대상을 설정하였다.

분석대상으로 선정된 각 언론사 사이트의 지면기사 검색을 통해 세월호 침몰사건에 관한 기사를 수집하였다. 이때 검색 키워드는 세월호를 기본으로 하였으며, 유사어 확장을 통해 관련 기사들도 모두 포함될 수 있도록 하였다. 모든 표본에서 하나의 기사에 여러개의 프레이밍이 포함되었을 경우에는 다중 코딩을 하도록 하였다. 전체 1613건의 기사가 수집되어 분석에 사용되었으며, 분석은 2명의 훈련된 광고홍보학과 대학원생들에 의해 수행되었다.

〈표 1〉에 나타난 바와 같이, 분석에 사용된 언론사별 기사건수로는 한겨레가 986건으로 가장 많았고, 다음으로 동아일보가 544건, 그리고 평화신문이 83건으로 나타났다.

〈표 1〉 분석에 사용된 각 언론사별 기사 건수

언론사	동아일보	한겨레	평화신문	합계
기사건수	544	986	83	1613

IV-2. 측정변인

IV-2-1. 분석프레임 구축

일반적으로 프레이밍 연구는 연역적 방법(deductive approach)과 귀납적 방법(inductive approach)을 통해 프레임을 구축하게 된다(Semetko&Valkenburg, 2000). 연역적 방법은 뉴스에서 사용된 프레임을 일정한 기준을 가지고 사전에 정의하여 구분하는 방법이다. 이 방법인 선행연구 등을 통해 검증된 프레임을 가지고 개별 기사의 프레임을 구획 짓는 방법으로 큰 표본을 다루는데 유리하다. 또한, 일정한 분석 틀을 가지고 접근하여 쉽게 분석하는 것이 가능하며, 후속 연구를 통해 시계열적 분석이 가능해 진다.

반면 귀납적 방법은 가능한 모든 프레임을 밝히기 위해 개방된 관점을 가지고 뉴스를 분석하는 방법이다. 또한, 다양한 형식의 프레임을 찾아내어 하나의 사건이 어떻게 프레이밍 되어 나타나는지는 정밀하게 분석하는 방법이다. 이 방법은 많은 시간이 소요되며, 추출된 프레이밍의 분석 단위가 연구자에 의해 크게 달라질 수 있다는 단점을 가지고 있기도 하다. 그러나 사건 보도의 특정 측면을 분석하는데 유리하게 작용된다(민정식, 김연식, 2014).

본 연구에서는 연역적 방법과 귀납적 방법을 함께 사용하여 분석을 진행하였다. 사건유형은 연역적으로 구성하고, 각 구분에 따른 세부 갈등 유형 프레임은 귀납적으로 분석하였다. 이를 통해 세월호 침몰사건에 대해 각 신문사가 사고의 어떤 측면에 관심을 두고 있는지 살펴보았다. 본 연구의 가장 기본적인 범주체계는 사건 유형, 갈등 유형이라는 2가지 변수차원에서 조직되었다.

〈표2〉 범주체계와 각 범주체계를 구성하는 범주

범주체계	범주 수	각 범주체계의 구성 범주
사건 유형	5	생명, 안전, 책임, 의무, 윤리
갈등 유형	8	정부 책임귀인, 관련인 책임귀인, 사회 책임귀인, 감성자극, 도덕성, 안전성, 문제해결 및 모색, 기타

먼저, 사건 유형의 경우 신진욱(2007)의 연구에서 사용된 범주체계를 참고하였다. 신진욱(2007)의 연구에서는 양적 내용분석 방법을 사용하여 4개의 범주체계를 구성하였다. 일차적으로 범주체계를 구성한 후 연구자가 20여 개의 표본을 뽑아 범주체계를 적용시켜보았으며, 이러한 과정을 통해 코딩 지침을 정교화 하였다.

본 연구에서는 이를 활용하여 사건 유형의 범주체계를 구성한 후 표본을 뽑아 범주체계를 적용시켜 보았다. 이를 통해 생명, 안전, 책임, 의무, 윤리의 사건 유형 범주체계를 구성하였다.

<표3> 사건 유형 구성 범주 세부내용

범주체계	범주 수	각 범주체계의 구성 범주
사건 유형	생명	존엄, 인간, 희생
	안전	재난, 안전, 관리
	책임	해당 사건과 관련된 개인 또는 집단이 가져야 하는 태도
	의무	직업적 의무, 이행
	윤리	예의, 기본, 도덕, 신뢰

다음으로, 갈등 유형 범주의 경우 선행연구의 결과들(강내원, 2002, 이현우, 이병관, 2005, 민정식, 김연식, 2014, Semetko&Valkenburg, 2000)을 참고하여 8개의 프레임을 구축하여 분석에 사용하였다.

<표4> 갈등 유형 구성 범주 세부내용

범주체계	범주 수	각 범주체계의 구성 범주
갈등 유형	정부 책임귀인	사회적 갈등이나 쟁점이 몰고 온 문제의 원인이나 책임을 규명하려는 노력이 언론 보도에 제대로 투영되었는지 가늠하는 프레임. 갈등이나 쟁점의 원인이 정부에게 있다고 주장하거나, 정부의 행동을 촉구하는 프레임.
	관련인 책임귀인	사회적 갈등이나 쟁점이 몰고 온 문제의 원인이나 책임을 규명하려는 노력이 언론 보도에 제대로 투영되었는지 가늠하는 프레임. 갈등이나 쟁점의 원인이 관련인에게 있다고 주장하거나, 행동을 촉구하는 프레임.
	사회 책임귀인	언론사 또는 언론보도가 갈등이나 쟁점의 원인에 있다고 주장하거나 행동을 촉구하는 프레임. 경제 또는 사회적인 문제로 인해 사건이 발생하였으며, 연관있다고 주장하는 프레임.
	감성자극	사회적 쟁점이나 문제를 보도함에 있어 문제의 해결에 사람의 감성, 분노, 동정심을 개입시키는 것으로 사회 문제를 표피적으고 감성적으로 접근하는 프레임. 휴먼스토리나 개인의 삶 제시, 분노, 공정심, 공감 등의 형용사를 제시하거나 감정을 유발하는 비주얼 제공.
	도덕성	문제 혹은 쟁점을 도덕적 혹은 종교적 차원 등과 연결시키는 프레임 직업윤리, 주체들의 이기주의 , 도덕과 윤리 혹은 종교적 상징을 비유로 들고 있는지에 관한 프레임.
	안전성	세월호와 관련하여 안전성을 옹호하거나 의심, 비난 등을 제시하는 프레임
	문제해결 및 모색	정부 혹은 다른 이해관계자 간의 대화, 합의, 조정의 필요성과 종용 등을 제시하는 프레임. 세월호와 관련하여 민주적인 대화, 합의 내용을 언급하거나 문제의 구체적인 진단 및 처방을 제시하는 프레임.
	기타	사실적 보도로 단순한 사건이나 행사의 보도 또는 숫자적 접근.

IV-2-2. 촉발사건에 따른 시기 구분

    세월호 침몰사건 변화에 영향을 미쳤던 촉발사건을 중심으로 5시기를 구분하였다. 첫째, 먼저, 1기는 2014년 4월 16일부터 4월 26일까지로서, 4월 23일 검찰, 유병언 일가 및 청해진 해운 관계사 압수수색과 임시분향소 조문까지를 말한다. 이 기간 동안 단원고 교감 자살과 임시분향소 조문이 시작되었다.

    2기는 2014년 4월 27일부터 5월 22일까지로서, 5월 19일 박근혜 대통령 대국민담화까지를 말한다. 이 기간 동안 세월호 구조인력의 인명피해가 발생하였다. 3기는 2014년 5월 23일부터 6월 15일까지로서, 6월 12일 유병언 사체 발견까지를 발한다. 이 기간 동안 유병언 일가 재산추징보전 청구와 세월호 승무원에 대한 첫 재판이 실시되었다. 4기는 2014년 6월 16일부터 10월 29일까지로서, 8월 14일 프란치스코 교황 방한과 102일 만에 세월호 실종자 시신을 수습한 시기이다. 5기는 2013년 10월 31일부터 2015년 1월 11일까지로서, 본 논문은 2015년 1월 12일 세월호 특별법 통과 전까지 기사를 내용분석에 활용하였다. 이 기간 동안 여야 간 특별법 타결과, 정부의 세월호 수색 작업 종료 발표가 있던 시기이다.

〈표5〉 세월호 침몰사건의 촉발사건 구분

	시 기	주요 촉발사건
1	2014.04.16.- 2014.04.26.	- 2014년 4월 16일 세월호 침몰사건 발생 - 4월 18일 단원고 교감 자살 - 4월 23일 검찰, 유병언 일가 & 청해진 해운 관계사 압수수색 - 4월 23일 임시분향소 조문 시작
2	2014.04.27.- 2014.05.22.	- 4월 30일 다이빙벨 투입 시도 - 5월 6일 구조인력 인명피해 - 5월 19일 박근혜 대통령 대국민담화
3	2014.05.23.- 2014.06.15.	- 5월 28일 검찰, 유병언 일가 재산추징보전 청구 - 6월 10일 세월호 승무원 첫 재판 - 6월 12일 유병언 사체 발견
4	2014.06.16.- 2014.10.30.	- 8월 14일 프란치스코 교황 방한 - 10월 28일 세월호 실종자 시신 102일 만에 추가 수습
5	2014.10.31.- 2015.01.11	- 10월 31일 특별법 여야 타결 '3+3회동' - 11월 11일 정부 세월호 수색작업 종료 발표

IV-2-3. 언론보도 사진에 따른 구분

세월호 침몰사건의 언론보도에서 사용된 사진을 중심으로 4가지 유형을 구분하였다. 사진 유형의 경우, 김지영(2014)의 연구에서 사용된 범주체계를 참고하여 본 연구에 맞게 수정, 보완하였다. 본 연구에서는 이를 활용하여 범주체계를 구성한 후 적용하였다. 언론보도 사진에 따른 세월호 침몰사건 구분하면 첫째, 이미지 중심의 사진으로 무엇을 보여줄 것인가이다. 이미지 중심의 사진은 전체 비주얼 중심과 기사 전반의 이미지 중심으로 나눌 수 있다. 둘째, 서사 중심의 사진으로 무엇을 이야기할 것인가이다. 서사 중심의 사진은 사건 중심과 사건을 중점으로 하여 내용을 알리는 것으로 나눌 수 있다.

〈표6〉 언론보도 사진 유형 세부내용

범주체계	범주 수		각 범주체계의 구성 범주
사진 유형	이미지 중심 (무엇을 보여줄 것인가)		전체 비주얼 중심
			기사 전반의 이미지 중심
	서사 중심 (무엇을 이야기할 것인가)		사건 중심
			사건을 중점으로 하여 내용을 알림

V. 연구결과
V-1. 세월호 침몰사건 언론보도 기사건수의 추이

〈그림 1〉은 세월호 침몰사건과 관련하여 언론보도의 기사건수를 시계열로 분석한 것이다. 〈그림 1〉에 나타난 바와 같이 언론보도 기사건수가 가장 많았던 시기는 2014년 4월 16일 사건 발생일부터 2014년 5월 6일 사이로 나타났다.

세월호 침몰사건은 많은 사상자와 구조 문제, 여기에 더하여 정치와 사회 문제가 얽히면서 사건 발생일을 기준으로 하여 사건 진행에 대해 언론 보도가 가장 많았던 것을 알 수 있다. 2014년 7월에는 세월호 특별법 촉구를 위한 시위나 행진이 진행되고, 8월 14일 프란치스코 교황 방한이 이루어지면서 일시적으로 세월호 관련 기사가 소폭 증가한 것을 알 수 있다. 이 후 간헐적으로 언론보도가 이루어지다가, 점차 감소

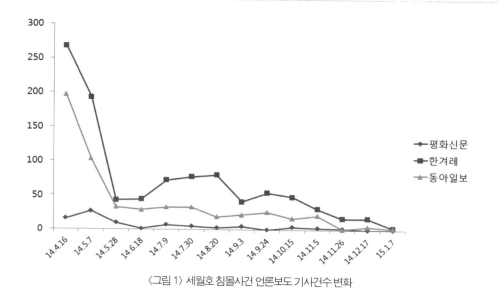

〈그림 1〉 세월호 침몰사건 언론보도 기사건수 변화

하였다.

기사건수에 대한 증감추이는 각 신문사가 비슷한 양상을 보였다. 하지만 세부적으로 살펴보았을 때, 약간의 차이를 보이고 있다. 상대적으로 살펴보았을 때, 사건 발생을 기점으로 2014년 5월 6일까지의 기사 건수가 한겨레는 전체에서 약 27.2%를 차지하고 있으나, 동아일보는 전체에서 약 36.1%를 차지하고 있는 것을 알 수 있다. 반면 평화신문은 2014년 5월 7일부터 5월 28일 사이에 가장 많은 보도가 되었다. 이 시기는 박근혜 대통령 대국민담화와 구조인력 인명피해가 지속적으로 시작되는 시기이다. 이 후에도 특정 사건을 중심으로 보도가 이루어지는 양상을 나타냈다.

V-2. 세월호 침몰사건에 대한 사건 유형 프레임 구성

연구문제 1-1은 세월호 침몰사건과 관련된 언론보도에서 사용된 사건 유형 프레임이 어떻게 구성되었는지 알아보고자 한다. 〈표 7〉는 세월호 침몰사건과 관련한 언론보도에서 사용된 사건 유형 프레임 구성을 보여준다. 전체 분석대상 기사 가운데 생명 프레임이 31.8%로 가장 많았으며, 다음으로 책임 프레임이 29.6%로 많았다. 반면 중요한 프레임으로 생각되었던 안전이 10.1%로 가장 낮게 나타났다.

이러한 점으로 비추어 볼 때, 언론보도는 안전에 대한 프레임을 형성하지 않았음을 알 수 있다. 반면, 생명이나 책임 프레임을 세월호 침몰사건의 주요 프레임으로 보도했다는 점이다. 이 외에 의무나 윤리 프레임의 경우, 직업적 의무나 윤리가 맞물리게 작용함으로써 안전 프레임보다 높은 보도 성향을 나타냈다.

〈표7〉 사건 유형 언론보도 프레임 구성

범주체계	세부 범주	Frequency	%
사건 유형	생명	673	31.8
	안전	213	10.1
	책임	628	29.6
	의무	360	17.0
	윤리	245	11.6
	계	2119	100.0

*분석된 프레임은 다중응답으로 코딩되었기 때문에, 기사의 총 합계는 실제 분석된 기사의 건수보다 많다.

이러한 결과는 세월호 침몰사건의 원인인 안전 프레임이 실제 언론보도와 차이가 있다는 것을 보여주는 것이다.

V-3. 세월호 침몰사건에 대한 갈등 유형 프레임 구성

연구문제 1-2는 세월호 침몰사건과 관련된 언론보도에서 사용된 갈등 유형 프레임이 어떻게 구성되었는지 알아보고자 한다. 〈표 8〉은 세월호 침몰사건과 관련한 언론보도에서 사용된 갈등 유형 프레임 구성을 보여준다. 전체 분석대상 기사 가운데 정부 책임 프레임이 29.3%로 가장 많았으며, 다음으로 감성자극 프레임 27.0%, 도덕성 프레임 13.1% 순 이었다. 반면 사회 책임귀인과 안전성 프레임이 5.0%로 가장 낮게 나타났다.

이러한 점을 비추어 볼 때, 언론보도는 안전성에 대한 프레임을 형성하지 않았음을 알 수 있다. 반면, 세월호 침몰사건의 주요 프레임으로 정부 책임귀인과 감성자극으로 보도했다는 점이다. 이 외에도 언론의 역할 중 하나인 문제해결 및 모색도 8.0%로 낮게 나타난 것을 볼 수 있다.

<표 8> 갈등 유형 언론보도 프레임 구성

범주체계	세부 범주	Frequency	%
갈등 유형	정부 책임귀인	655	29.3
	관련인 책임귀인	200	8.9
	사회 책임귀인	111	5.0
	감성자극	605	27.0
	도덕성	293	13.1
	안전성	112	5.0
	문제해결 및 모색	178	8.0
	기타	84	3.8
	계	2238	100.0

* 분석된 프레임은 다중응답으로 코딩되었기 때문에, 기사의 총 합계는 실제 분석된 기사의 건수보다 많다.

이러한 결과는 세월호 침몰사건이 일어난 원인으로 정부 책임귀인 프레임이 주로 활용되었으며, 수용자에게 감성자극을 통해 전달했다는 것을 알 수 있다.

V-4. 세월호 침몰사건에 대한 신문사별 언론보도 프레임 구성

연구문제 2는 세월호 침몰사건과 관련된 언론보도에서 동아일보, 한겨레, 평화신문 각각의 신문사마다 언론보도 프레임 구성이 차이를 보이는지에 관해 살펴보기 위한 것이다. <표 9>에 나타난 바와 같이, 전반적으로 신문사별 프레임 구성은 약간의 차이를 보이고 있다.

먼저, 동아일보의 프레임은 감성자극(29.9%), 정부 책임귀인(22.7%), 도덕성(12.3) 프레임 순으로 나타났다. 한겨레의 프레임은 정부 책임귀인(34.2%), 감성자극(26.1%), 도덕성(11.7%) 프레임 순으로 나타났다. 평화신문의 프레임은 도덕성(29.7%), 감성자극(21.5%), 정부 책임귀인과 사회 책임귀인(16.5%) 프레임 순으로 나타났다.

	정부 책임귀인	관련인 책임귀인	사회 책임귀인	감성 자극	도덕성	안전성	문제해결 및 모색	기타	계
동아 일보	163	77	8	215	88	57	67	43	718
	22.7	10.7	1.1	29.9	12.3	7.9	9.3	6.0	100%
한겨레	466	116	77	355	159	53	99	37	1362
	34.2	8.5	5.7	26.1	11.7	3.9	7.3	2.7	100%
평화 신문	26	7	26	34	47	2	12	4	158
	16.5	4.4	16.5	21.5	29.7	1.3	7.6	2.5	100%
계	655	200	111	605	293	112	178	84	2238

* 분석된 프레임은 다중응답으로 코딩되었기 때문에, 기사의 총 합계는 실제 분석된 기사의 건수보다 많다.

다른 신문사와 달리 평화신문은 종교적 성격이 강하게 작용하여, 도덕성(29.7%)이 두드러지게 나타났다. 다음으로 감성자극(21.5%) 프레임이었다. 누군가에 의해 사건을 바라보는 것이 아닌, 언론보도의 프레임을 인간 감성적인 방향에서 접근하는 성향을 나타내었다. 또한, 다른 신문사와 달리 정부 책임귀인과 더불어 사회 책임귀인도 중요한 프레임으로 나타내는 것을 알 수 있었다.

한겨레는 정부 책임귀인(34.2%) 프레임이 주로 나타났다. 세월호 침몰사건에 대해 정부가 취해야했던 태도와, 행동을 촉구하는 보도를 주로 다루었던 것이다. 다음으로 감성자극, 도덕성 순이었다. 동아일보와 비교하였을 때, 한겨레는 사회 책임귀인 (5.7%)이 동아일보의 사회 책임귀인(1.1%)보다 높게 나타났다.

동아일보는 감성자극(29.9%) 프레임이 주로 나타났다. 다음으로 도덕성, 정부 책임귀인 순이었다. 또한, 책임귀인과 관련하여 정부 책임귀인은 물론 관련인 책임귀인도 중요한 언론보도 프레임으로 활용된 것을 알 수 있다.

V-5. 세월호 침몰사건에 대한 시기별 언론보도량 변화

연구문제 3-1은 세월호 침몰사건과 관련된 언론보도의 양은 촉발사건에 따라 어떻게 변화하는지 알아보았다. 그림 2는 세월호 침몰사건과 관련된 언론보도의 양이 촉발사건에 따라 어떻게 변화하는지를 알아보기 위한 것이다. 촉발사건에 따른 일별 기사량의 증감 추이를 살펴보면, 1기는 27.9건(총 307건)으로 가장 많은 일별 기사건

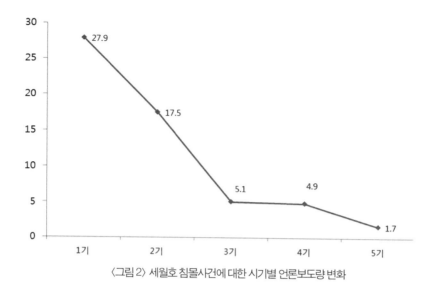

〈그림 2〉 세월호 침몰사건에 대한 시기별 언론보도량 변화

수를 나타내었다. 세월호 침몰사건이 발생한 이후, 사건 구조 및 관련 문제에 대한 기사가 실시간으로 보도되면서 단기간에 많은 보도가 이루어진 것이다.

사건 발생 이후 초반에는 2014년 4월 18일 동아일보에서 보도한 "한살 위 오빠가 구명조끼 벗어줬어요... 엄마는? 아빠는?"이라는 기사처럼 감성자극에 호소하거나, 2014년 4월 18일 동아일보에서 보도한 "천안함 10배 무게... 인양 두달 걸릴 듯"이라는 기사처럼 사실적 보도를 하는 기사가 대량으로 쏟아져 나왔다.

2기는 17.5건(총 456건), 3기는 5.1건(총 123건), 4기는 4.9건(608건), 5기는 1.7건(122건)의 기사건수를 나타내었다. 2기와 3기는 기사 건수가 지속적으로 감소하다가, 4기에 총 608건으로 나타났다. 이러한 수치는 4기의 기간이 다른 기수에 비해 길기도 하지만, 2014년 7월 15일 한겨레에서 보도한 "새누리 ′세월호특별법′ 발목잡기... 오늘 본회의 처리 ′먹구름′"처럼 특별법 발의 과정에서 이루어지는 진통이 있었다.

이 외에도 2014년 8월 24일 평화신문에서 보도한 "[교황 방안] 세월호 유가족에게 한글편지 보내", ′격려, 위로와 사랑 담아′처럼 프란치스코 교황 방한시기가 맞물리기도 있다. 추가 시신 수습과 같은 사건이 장기화되면서 일시적으로 3기와 비슷한 일일 보도량을 보인 것이다.

V-6. 촉발사건에 따른 언론보도 프레임 구성

연구문제 3-2은 세월호 침몰사건과 관련된 언론보도에서 사용된 프레임이 촉발사건에 따라 '생명' 유형에 대해 어떻게 언급하는지 살펴보고자 했다. 〈표 9〉에 나타난 바와 같이 1기에는 감성자극 프레임이 26.7%로 가장 높은 수치를 보였으며, 정부 책임귀인(23.0%), 관련인 책임귀인(19.4%) 프레임 순이었다. 감성자극과 정부 책임귀인 프레임이 고르게 나타나는 것이 1기의 특징이라 볼 수 있다.

2014년 4월 16일 한겨레에서 동일한 날에 보도한 두 기사를 살펴보면, 정부 책임귀인 프레임을 사용한 "368명 구조했다더니 3시간 만에 '164명'... 정부 우왕좌왕" 기사와, "우리 손주 바닷속에서 얼마나 추울꺼... 빨리 구해주소"는 감성자극을 사용한 것으로 각 프레임의 차이와 사용에 대해 이해할 수 있다.

2기에는 정부 책임귀인 프레임이 29.1%로 가장 높은 수치를 보였으며, 감성자극(24.3%), 도덕성(12.2%) 프레임 순이었다. 1기와 달리 2기에서는 정부 책임귀인 프레임이 부각되었는데, 2014년 4월 24일 동아일보에서 보도한 "일반인 생존자는 정부 관심 밖...'알아서 수습하라니 막막'", 2014년 4월 23일 "해수부, 유병언에 20년째 항로 독점권" 처럼 정부 책임귀인 프레임과 관련된 기사가 많은 비중을 차지했다. 도덕성 프레임은 2기부터 점차 부각되어 5기까지 꾸준한 수치를 보이고 있다. 도덕성 프레임에서 주로 언급되는 주제는 2014년 5월 11일에 평화신문에서 보도한 "이준석 선장의 비인간적 처신 맹비난", "생명 문화 건설_제도 정비에 앞서 생명의 가치부터 마음에 심어야"처럼 관련인의 비 도덕적인 행동을 비판하거나, 개인의 안전을 위해 타인의 생명을 경시하는 현상을 언급하고 있다.

3기는 2기와 동일하게 정부 책임귀인 프레임이 27.1%로 가장 높게 나타났고, 감성자극(26.5%), 도덕성(11.2%) 프레임 순이었다. 3기에는 5월 28일 유병언 일가 재산추징 보전 청구, 6월 10일 세월호 승무원 첫 재판, 6월 12일 유병언 사체 발견과 같은 촉발사건이 일어났다. 2014년 5월 25일 한겨레에서 보도된 "민경욱 '잠수사, 주검 1구당 500만원' 발언 사과"를 살펴보면, 청와대 대변인의 위치에 있는 인물이 생명 본연가치를 물질적으로 환산하여 발언하기도 했다. 이러한 언론보도는, 생명 본연가치가 훼손되며 생명 경시 현상이 일어날 수 있으며, 생명의 가치를 수량화하여 대중에게 부정적 인식을 갖게 할 수 있다. 이 외에도 2014년 5월 23일 보도된 "경찰, 세월호 집회 참가 여성 연행자 속옷 벗게 해"에서도 알 수 있듯이 개인의 인권이나 윤리보다는 세월호 침몰사건의 방향이 점차 정치적 문제로 왜곡되어 언급되는 것을 알 수 있다.

　4기 역시, 2,3기와 동일하게 정부 책임귀인 35.3%, 감성자극(26.8%), 도덕성(16.1%) 프레임으로 나타났다. 도덕성 프레임이 다른 기간보다 가장 높게 나타난 것을 볼 수 있는데, 이 기간에 8월 14일 프란치스코 교황 방한과, 10월 28일 102일 만에 세월호 실종자 시신이 추가 수습되었다는 점에서 그 이유를 찾을 수 있다. 2014년 7월 3일 동아일보는 "세월호 인명구조보다 '대통령 보고'가 그렇게 중요했나"라고 보도하며, 사고현장에서 인명구조보다는 대통령에게 보고하는 것이 우선순위 된 상황을 지적했다. 2014년 7월 13일 한겨레는 사복 경찰 또 세월호 유가족 미행하다 '들통'"이라는 기사를 보도하였으며, 이를 통해 유가족이 하는 행동을 점차 정치적으로 접근하는 정부의 태도와 언론보도의 방향을 알 수 있다.

　마지막으로 5기에서는 감성자극이 41.9%로 가장 높았고, 정부 책임귀인(17.6%), 문제해결 및 모색(13.5%) 프레임 순으로 나타났다. 4기와 5기를 걸쳐 문제해결 및 모색에 대한 기사가 증가한 것을 알 수 있으며, 2014년 11월 21일 한겨레는 "정부 세월호 인양계획 빨리 세워라"라는 보도를 하면서 현재 세월호 관련된 문제 해결을 촉구하기도 했다. 이 외에도, 2014년 12월 18일 한겨레는 "보수가 쳐놓은 프레임의 덫, 세월호 참사 진짜 원인 은폐"라고 보도하며, 아무도 책임지는 사람이 없고, 책임지지 않는 것에 대한 죄책감조차 없는 태도를 비판했다. 또한, 이러한 사람들이 우리나라를 국민의 생명, 안전과는 무관한 곳으로 만들어가고 있다는 점을 지적했다. 즉, 생명 본연가치보다도 정치적 해석과 책임 회피로 인해 생명 경시현상이 발생하고 있는 것이다.

	정부 책임귀인	관련인 책 임귀인	사회 책임 귀인	감성 자극	도덕성	안전성	문제해결 및 모색	기타	계
1기	100	84	19	116	45	29	24	17	434
	23.0%	19.4%	4.4%	26.7%	10.4%	6.7%	5.5%	3.9%	100%
2기	195	68	50	163	82	49	43	20	670
	29.1%	10.1%	7.5%	24.3%	12.2%	7.3%	6.4%	3.0%	100%
3기	46	12	17	45	19	6	12	13	170
	27.1%	7.1%	10.0%	26.5%	11.2%	3.5%	7.1%	7.6%	100%
4기	288	31	21	219	131	25	79	22	816
	35.3%	3.8%	2.6%	26.8%	16.1%	3.1%	9.7%	2.7%	100%
5기	26	5	4	62	16	3	20	12	148
	17.6%	3.4%	2.7%	41.9%	10.8%	2.0%	13.5%	8.1%	100%
계	655	200	111	605	293	112	178	84	2238

*분석된 프레임은 다중응답으로 코딩되었기 때문에, 기사의 총 합계는 실제 분석된 기사의 건수보다 많다.

V-7. 언론보도 사진에 따른 프레임 구성

연구문제 4는 세월호 침몰사건과 관련된 언론보도에서 사용된 사진 프레임은 신문사에 따라 어떠한 차이를 보이는지 살펴보고자 했다. 세월호 침몰사건과 관련하여 언론보도에 사용된 사진 프레임은 주로 각 신문사가 전달하고자 하는 논조에 더하여, 강한 메시지를 전달하기 위해 사용되었다. 세월호 침몰사건에 사용된 사진 프레임은 크게 이미지 중심과 서체 중심으로 구분한다. 이미지 중심은 전체 비주얼 중심과 기사 전반의 이미지 중심으로 나누어지며, 서체 중심은 사건 중심과 사건을 중점으로 하여 내용을 알리는 유형으로 나누어진다.

첫째, 전체 비주얼 중심 유형이다. 세월호 침몰사건은 다수의 희생자가 발생한 사건임으로, 언론보도에서 희생자의 비주얼을 중심으로 한 보도가 이루어졌다. 또한, 가해자의 비주얼을 중심으로 한 보도가 이루어지기도 했다. 한겨레의 2014년 12월 28일 '서로 지켜준다 했는데 추억으로 오늘을 견딘다... 아빠에게도 힘을 주렴' 보도에서는 세월호 희생자 부모가 희생자에게 일기 형식으로 메시지를 전달하였으며 기사를 통해 보도되었다. 기사의 핵심 부분 발췌는 다음과 같다.

"든든했던 맏아들 준우에게

사랑하는 우리 아들 준우에게.

힘들었던 올 한해가 지나가고 있지만, 지울 수도 버릴 수도 없는 이날들을 어찌할까. 새해가 다가와도 네가 없는 시간을 어떻게 채울 수 있을까. 너는 아직도 머문 자리에 그대로 있고, 엄마의 마음은 4월16일에 멈춰 버렸는데 무슨 의미가 있을까. "

〈한겨레, 2014. 12. 28. 서로 지켜준다 했는데 추억으로 오늘을 건단다... 아빠에게도 힘을 주렴.〉

한겨레 외에도 평화신문과 동아일보에서도 이와 같은 비주얼 중심의 보도가 이루어졌다. 평화신문 2014년 11월 2일 보도에서는 '세월호 희생자 박성호(단원고 2년) 누나 박보나씨의 편지' 라는 제목으로 주님과 함께 사랑 받으며 행복하길 기원하는 희생자 누나의 바램이 담긴 편지가 기사화되었다. 기사의 내용에서는 사랑하고, 고맙다는 말을 전달하지 못했다는 희생자 가족의 마음이 담겨져 있다. 동아일보 2014년 7월 21일 보도에서는 '망각의 바다로 보내지 않을게'라는 제목으로 단원고 생존학생인 준혁이네 이야기를 다루었다. 같은 반 친구 36명 중 생존자 9명이었다. 준혁이는 이 중 한명으로 세월호에서 잠수를 해 헤엄쳐 바다로 탈출했다. 동아일보에서는 세월호 침몰사건 이후, 생존자 가족과 생존자에 대한 일상을 기사화는 물론, 희생자와 가족들에 대한 사건 후 일상을 특집기사와 하여 보도하였다.

신문사에 따른 전체 비주얼 중심 유형은 동일한 논조를 전달하고 있었다. 한겨레, 동아일보, 평화신문은 전체 비주얼 중심의 기사 사용을 감성자극에 주로 사용함으로써, 세월호 침몰사건의 직, 간접적 영향이 있는 이들의 비주얼을 부각했다. 또한, 정부, 관련인 책임귀인과 관련하여 세월호 침몰사건과 관련이 있는 정부 관련 인사 또는 세월호 침몰사건의 선장 등과 같은 연관성이 있는 사람의 비주얼을 부각하여 전달함으로써 기사의 내용에서 주로 언급하는 대상을 노출하는 형태를 보였다.

둘째, 기사 전반의 이미지 중심 유형이다. 세월호 침몰사건은 사건과 관련한 행사와 재판과정, 이해 충돌이 이루어지면서 사건의 참여자가 가지고 있는 느낌을 전달하

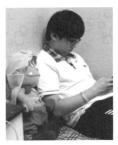

〈그림 3〉 전체 비주얼 중심의 기사(한겨레, 2014. 12. 28/ 평화신문, 2012. 11. 02/ 동아일보, 2014. 7. 21)

는 사진 보도가 이루어 졌다. 기사 보도에 흐르는 이미지에 중점을 두어 사건 당사자의 비주얼이 노출되는 것이다. 평화신문의 2014년 12월 14일 보도에서는 '희생, 실종자 304명 마음에 새기는 304일간의 미사' 라는 제목으로 세월호 희생자과 실종자를 기억하자는 의미의 미사가 이루어졌다는 점을 전달했다. 기사의 핵심 부분 발췌는 다음과 같다.

> "이날 미사에는 세월호 사고로 희생된 단원고 2학년 김민성군의 아버지
> 김홍열씨와 2학년 박성호(임마누엘)군의 어머니 정혜숙(체칠리아)씨가
> 참례했다. 김홍열씨는 "아들이 죽었는데 아빠는 이유를 잘 모르겠습니다.
> 아들이 왜 죽었는지 밝혀달라고 하는 게 죄가 되나요"라며 눈물을 글썽였다.
> '아들이 보고 싶은데, 이게 사치입니까'라는 김씨의 물음에 성당 안의 신자들도
> 눈물을 흘렸다."
> 〈평화신문, 2014. 12. 14. 희생, 실종자 304명 마음에 새기는 304일간의 미사〉

평화신문 외에도 한겨레와 동아일보에서도 이와 같은 기사 전반의 이미지 중심의 보도가 이루어 졌다. 한겨레 2014년 7월 23일 보도에서는 '유가족 "진실의 문 잠겨… 가만히 있을 수 없어 행진 나선다"라는 제목으로 세월호 참사 100일이 되도록 진상규명 목소리에 응답하지 않는 정부와 국회에 의견을 전달하기 위해 눈물의 행진을 한 모습이 기사화되었다. 특히, 본 기사의 사진에서는 행진 시간에 맞춰 단원고 교사와 학부모들의 응원과 안산시민들의 격려가 더해진 사진을 노출함으로써 세월호 침몰사건으로 인해 겪는 슬픔을 참가자의 감정을 담아 전달하고자 했다.

〈그림 4〉 기사 전반의 이미지 중심의 기사(평화신문, 2014. 12. 14/ 한겨레, 2014. 7. 23)

신문사에 따른 기사 전반의 이미지 중심 유형은 각 신문사마다 약간의 차이를 보였다. 가장 두드러진 경우는 평화신문이다. 평화신문은 주로 세월호 침몰사건과 관련하여 미사나 함께 슬픔을 나누는 모습을 이미지로 전달하였다. 또한, 감성자극과 도덕성 측면에서 주로 활용되었다. 이러한 특징은 신문사별 언론보도 프레임 구성과 동일한 형태를 보였다고 볼 수 있다. 평화신문은 주로 감성자극(21.5%)과 도덕성(29.7%) 프레임을 적절하게 활용하였는데, 기사 전반의 이미지 중심 유형에서도 이와 같은 형태를 보인 것이다.

한겨레와 동아일보는 세월호 침몰사건과 관련한 행진, 추모, 시위 등과 같은 사건을 전달하기 위해 다음의 이미지를 활용하였으며, 주로 책임귀인 측면에서 활용되었다. 즉, 평화신문은 사건의 문제점을 지적하거나 사실 보도를 위해 이미지를 활용한 것이지만, 평화신문은 사건과 간접적으로 접근하여 세월호 침몰사건에 대해 감성적 접근을 한 것이라고 볼 수 있다.

셋째, 사건 중심 유형이다. 세월호 침몰사건은 재판, 정치권의 충돌, 추모 행사, 행진, 구조 작업 등 다양한 사건이 발생되었다. 이러한 사건 발생을 중심으로 사건을 설명할 수 있는 대표적인 사진을 중심으로 한 보도가 이루어지기도 했다. 동아일보의 2014년 11월 4일 '세월호 유가족 '광화문 농성장은 계속 유지'' 보도에서는 세월호 유가족이 광화문 농성장에서 지속적으로 자리를 지키고 있는 내용을 전달하였다. 기사의 핵심 부분 발췌는 다음과 같다.

"세월호 유가족들이 세월호 특별법 여야 합의를 수용하겠다고 밝힌 다음 날인 3일 오전 10시경 서울 종로구 청운동 주민센터 앞 농성장은 유가족 1명만이 자리를 지키고 있었다. "한 번도 아침을 사먹은 적이 없었어요. 항상 주변이웃들이 가져다주시는 밥이나 컵라면을 먹었지. 이제 여기 철수한다고 해서 오늘 밥이라도 한 번 먹자고 식당에 갔다 온 거예요." 이곳에서 주야로 농성 중인 세월호 유가족은 4명. 이들은 특별법 여야 합의 이후 차분히 철수를 준비하고 있다."
〈동아일보, 2014. 11. 4. 세월호 유가족 '광화문 농성장은 계속 유지'〉

동아일보 외에 한겨레에서도 이와 같은 사건 중심의 보도가 이루어졌다. 한겨레 2014년 11월 2일 보도에서는 '세월호 완전 침몰, 배 안 '에어포켓' 줄어든 탓인 듯'이 라는 제목으로 구조작업의 어려움에 대해 전달하고자 했다. 기사에서 사용된 사진은 세월호 침몰사건이 일어난 해상에서 선박 인양 작업에 투입될 해상 트레인의 모습이 었다. 제목에서도 알 수 있듯이 에어포켓(공기층)이나 인양 작업 등 구조라는 사건에 중심을 두고 사진을 활용하여 기사를 전달하고자 했다.

넷째, 사건을 중심으로 하여 내용을 알리는 유형이다. 세월호 침몰사건 기사는 주 로 이와 같은 사진 유형 보도가 이루어졌다. 한겨레 2014년 4월 16일 '368명 구조했 다더니 3시간 만에 "164명"…정부 우왕좌왕' 보도에서는 세월호 침몰사건이 일어난 이후 시간대별 상황을 사진과 함께 전달하였다. 사진을 중심으로 하여, 세부적인 내 용을 알리는 형식인 것이다.

〈그림 5〉 사건 중심의 기사(동아일보, 2014. 11. 4/한겨레, 2014. 4. 18)

〈그림 6〉 사건을 중심으로 하여 내용을 알리는 기사(한겨레, 2014. 4. 16/ 동아일보, 2014. 4. 17)

동아일보도 한겨레와 같은 방식의 보도 형식을 취했다. 기사의 핵심 부분 발췌는 다음과 같다.

"출동한 해경 경비구난정 123정이 접근해 구조작업을 시작한 오전 9시 30분경 여객선은 물이 차오르면서 왼쪽으로 60도가량 기울어진 상태였다. 10여 분 뒤 여객선의 왼편은 완전히 침수돼 이쪽으로는 더이상 구조 활동이 불가능해졌다. 김승래 군(17)은 "3층 선실에 친구들과 있는데 갑자기 배가 기울었고 1시간 뒤 바닷물이 목까지 차올랐다"며 "물밑으로 잠수한 뒤 탈출해야 했다. 서너 번 물체와 충돌한 뒤 숨이 막히려는 순간 빛이 보여 살았다고 생각했다"고 말했다."
〈동아일보, 2014. 4. 17. "갑자기 배가 기우뚱하더니 30분 뒤 물 쏟아져 들어와"〉

한겨레와 동아일보는 주로 서사중심 범주를 활용하였다. 사건 중심과 사건을 중심으로 하여 내용을 알리는 형태를 취한 것이다. 한겨레와 동아일보가 이러한 유형을 주로 활용한 것은 사건에 대한 사실적 보도를 위한 것이라 볼 수 있다. 또한, 언론보도 프레임에서 두 신문사가 주로 취한 책임귀인을 전달하기 위해 가장 효과적인 사진 유형을 활용한 것이라 볼 수 있다.

VI. 결론 및 논의

오늘날 우리 현실은 극단적 집단주의, 폭력, 상호존중의 미덕보다는 자신의 이해 득실을 중시한 인간관계, 상호간의 무관심, 공동체 의식 결여, 환경오염에 의한 생태계 파괴 등의 문제가 현저하게 부각되는 가운데 생명을 중시하는 교육이 절실히 요청되고 있다(강경아 외, 2011). 이를 해소하기 위해서는 현대 사회가 당면한 생명 위기의 문제를 인식하게 하고, 생명의 의미와 소중함을 일깨우는 데 있다. 또한 인간 존엄성의 회복을 통하여 생명의 존엄성을 회복하고, 자연의 가치를 새롭게 인식하여 인간과 자연이 하나라는 사고를 형성해야 한다(배진희, 2010; 장정훈, 2002).

생명존중, 생명사랑, 생명공동체 회복을 위한 범국민적인 '생명문화운동'의 확산과 이를 위해 국민들이 자발적으로 참여하고, 호응할 수 있는 생명문화운동의 전개가 필요하다. 종교와 법, 교육, 언론, 예술과 문화, 정치 등 여러 영역에서 생명의 존엄성을 고양하는 데 보다 특별한 관심과 노력을 기울여야 한다. 특별히 생명 존중과 안전 중시는 정부나 지방자치단체 등 공공기관의 가장 중요한 목표가 되어야 하며, 구체적인 지표로 관리되어야 한다.

생명도 함부로 다루어서는 안 되며, 죽임과 파괴의 행위는 놀이와 게임의 형태로도 바람직하지 않다. 자살은 절대적인 가치를 가진 생명을 훼손하는 것일 뿐 아니라 다른 사람에게 고통을 주고 자살을 자극할 수 있으므로 결코 정당화 될 수 없다. 모든 생명은 겸손함과 존경심으로 다루어야 한다. 생명은 공동체 안에서 진정한 가치를 발휘할 수 있다. 특별히 약자를 위한 배려와 보살핌은 아름다운 일이다.

주제어(Keyword): 세월호 참사(Sewol Ferry catastrophe), 뉴스프레임(New Frame), 생명(Life), 재난 보도(Disaster Coverage)

참고문헌

김지영 (2014). 한국 영화포스터 사진 분석: 오형근 작품을 중심으로, 한국콘텐츠
　　　학회논문지 14(12), pp.618-628.

권상희 (2004). 인터넷미디어 뉴스형식연구, 온라인 저널리즘의 기사구성방식
　　　비교를 중심으로, 한국방송학보 18(4), pp.306-357.

민정식, 김연식 (2014). 2013년 일본 원전사고에 대한 한국 신문의 보도프레임
　　　연구, 일본근대학연구 44, pp.413-434.

박동균 (2009). 허베이 스피리트호 기름유출사고를 통해 본 재난보도의 문제점,
　　　한국콘텐츠학회논문지 9(5), pp.241-248.

신진욱 (2007). 민주화 이후의 공론장과 사회갈등, 1993-2006년 조선일보와 한
　　　겨레신문의 헤드라인 뉴스에 대한 내용분석, 한국사회학 41(1), pp.57-
　　　93.

유승관, 강경수 (2011). 세계 뉴스통신사의 재난, 재해 뉴스보도의 실태와 개선방
　　　안연구, 방송통신연구 76, pp.140-169.

유재웅, 조윤경 (2012). 자연재난 보도에서 공식, 비공식 정보원 이용에 관한
　　　연구: 시민제작 콘텐츠 이용정도를 중심으로, 한국위기관리논집 8(3),
　　　pp.67-84.

윤태진 (2014). 방송사의 세월호 참사 보도: JTBC 뉴스를 주목해야 하는 이유, 문
　　　화 과학 가을호, PP.192-212.

이승희, 송진 (2014). 재난보도에 나타난 소셜 미디어와 방송 뉴스의 매체 간 의
　　　제설정, 한국언론학보 58(6), pp.7-39.

이연 (2008). 선정보도에 피해주민 분통 선진화된 메뉴얼 시급, 신문과 방송 9월
　　　호, pp.70-73.

이진로 (2014). 세워호 침몰사건 언론보도의 문제점과 개선방안, 한국소통학회
　　　봄철 정기학술대회.

이준웅 (2001). 갈등적 이슈에 대한 뉴스 프레임 구성방식이 의견형성에 미치
　　　는 영향, 내러티브 해석 모형의 경험적 검증을 중심으로, 한국언론학보

46(1), pp.441-482.

이현우, 이병관 (2005). 부안 원전수거물 관리시설 유치 쟁점에 대한 언론보도
프레임 분석, 언론과학연구 5(3), pp.516-547.

지성우 (2011). 재난과 방송의 역할, 방송문화 356, pp.10-15.

홍은희 (2014). 한국 재난보도의 과제: 세월호 침몰사건 보도를 중심으로, 관훈저
널 여름호, pp.26-36.

정석구 (2014.04.22.). 정석구 칼럼, 언론도 침몰했다, 한겨레.

Entman, R. (1993). Framing: Towards clarification of a fractured paragigm,
Journal of Communication 43(4), pp.51-58.

Semetko. H. A., & Valkenburg, P. M. (2000). Framing European politics: A
content analysis of press and television news, Journal of Comminication
50(2), pp.93-109.

A Study on the Coverage Frame of Newpaper : Focusing on Sewol-ho Disaster Related News

Shin, Il Gi(Incheon Catholic University)

The purpose of this study is to explore the influence of mass media on the process of change in conflict issue in the context of a radioactive waste disposal site issue the Sewol Ferry catastrophe. For this purpose, a content analytic study identified the use of frames in internet news media and investigated the influence of triggering events on the change in the use of news frames.

그리스도교 미술 연구 총서 8

생명

2015년 12월 17일 초판 1쇄 인쇄
2015년 12월 18일 초판 1쇄 발행

엮은이 · 인천가톨릭대학교 조형예술대학 그리스도교미술연구소
펴낸이 · 권혁재

편집 · 김경희
출력 · 엘렉스프린팅
인쇄 · 한영인쇄

펴낸곳 · 학연문화사
등록 · 1988년 2월 26일 제2-501호
주소 · 서울시 금천구 가산동 371-28 우림라이온스밸리 B동 712호
전화 · 02-2026-0541~4 | 팩스 · 02-2026-0547
E-mail · hak7891@chollian.net | 홈페이지 · www.hakyoun.co.kr

ⓒ 인천가톨릭대학교 조형예술대학 2015

책값은 뒤표지에 있습니다.
잘못된 책은 바꾸어 드립니다.

ISBN 978-89-5508-334-7 94600
ISSN 2234-0874